ウイグル・香港を殺すもの
ジェノサイド国家中国

福島香織

ワニブックス
|PLUS|新書

はじめに

2021年7月1日、中国共産党は建党100周年の祝賀大会を北京で開催しました。このとき、習近平《しゅうきんぺい》は重要演説をしたのですが、そのなかで恐ろしい発言をしました。

「(外部勢力が中国に圧力にかけようとしても)14億人を超える中国人民の血肉で築かれた〝鋼鉄の長城〟に頭をぶつけ流血することになる」

義勇行進曲の一節をもじったものですが、14億人犠牲を公言したわけですから、いまだに「人民戦争理論」かと、ぎょっとしたことでしょう。同じことを日本の首相が言ったらどうなるでしょう？　きっと次の選挙では政権が変わることになるでしょうね。

習近平演説では、「中国共産党がなければ、新中国はなく、中華民族の偉大な復興もない。歴史と人民は中国共産党を選んだ」と訴え、「中国共産党は常に最も広範な人民の根本的な利益を代表」としており、党の執政の正統性（レジティマシー）を強調しているのですが、鄧《とう》小平《しょうへい》以降、中国人はすでに個人の財産をもち、個人の幸せを追求する社会に生きています。

いくら共産党が中華民族を復興するためだ、といっても、そのために自分たちの命や財産を犠牲にしろと言われれば嫌でしょう。党員9500万人、いや党中央委員200人ですら、そんなことを言われたら海外に移民したい、と言うはずです。実際、共産党幹部は一族の誰かに外国籍やグリーンカードを持たせ、海外に資金を移転し、いざとなった場合の海外脱出を想定していたりします。

でも、表だって「党や国家の犠牲になるのは嫌だ」とは誰も言えません。全体主義の共産党体制は異なる意見を認めません。鄧小平から胡錦濤《こきんとう》政権までは、集団指導体制が機能し、指導部内で多少なりとも異なる意見が検討されていたのですが、習近平は長期個人独裁体制を築こうと、自分と異なる意見の人間を次々に失脚させてきました。今では習近平の考えにはっきりとノーという人はほとんどいません。

鄧小平も江沢民《こうたくみん》も胡錦濤も共産党独裁の指導者ですが、少なくとも人民を動員するような血《ち》生臭《なまぐさ》い権力闘争をやめようと考えました。そして人民個々に金儲けの自由を許しました。これは政治動乱に疲れ、飢えに苦しんだ人民にとっては共産党を支持する十分な理由となりました。この時代、高度経済成長を約束することが共産党のレジティマシーを支えていました。

ですが、高度経済成長期の事実上の終わり告げるニューノーマル宣言をした習近平政権には新しいレジティマシーの根拠が必要となりました。そこで習近平が人民に約束したのが、偉大なる中華民族の復興。つまり中国が米国をしのぐ国際社会の一番のリーダーになることです。当然米国はこれを阻《はば》もうとするので、国際枠での権力闘争が始まります。この国際規模の権力闘争に勝つために、習近平は14億人民に「長征《ちょうせい》」を強《し》いようとしているわけです。これにノーと言おうとすれば、粛清されてしまいます。果たして、そんな「中国の夢」が政権の正統性の根拠になるのでしょうか。

　習近平はおそらく、自分の権力の正統性に本当は自信がないのです。だから、すべての権力を自分が掌握して、異論を完全に排除し、すべてを力で従わせようとしているのです。

　こうした習近平のレジティマシーが確立していないことによる自信のなさが、香港、ウイグルでの暴挙につながっているのだと思います。

　本書は習近平政権の香港、ウイグルに対する迫害と弾圧の実体を解説しながら、中国習近平政権がどこに行き着こうとしているかを見極めるための参考になればと思いまとめました。中国について分析するとき、私は習近平前と習近平後に分けて考えるべきだと思っています。習近平前の中国であれば、日本は米国と中国の間で両国の架け橋の役割をしたり、あるいは天秤にかけたりするような外交の選択肢もあったかもしれません。しかし、習近平政権になってからは、そういった選択肢は完全になくなったと理解すべきだと思います。

習近平の強いコンプレックスと権力基盤の不安定さをみるとき、米国という世界の警察国家のレームダックと新型コロナウイルスのパンデミックの混乱を利用して、「人民戦争」を仕掛ける可能性は十分にあります。いえ、今は「人民戦争」とは言わないのですよ。毛沢東の人民戦争理論の後継理論はより洗練されて「超限戦」と呼びます。中国人民だけでなく、私たち日本人を含む国際社会の普通の人々も知らず識らずのうちに誘導され、分断され、巻き込まれているかもしれません。香港やウイグルで起きていることが、台湾で起き、一帯一路沿線国で起き、そして日本で起きる可能性もある。そう思って、香港やウイグルの現状を理解してほしいのです。そして、そういう戦いは、高邁な国家の理想などとは本当のところ無関係で、いじけたコンプレックスの強い独裁者のルサンチマンから始まるのです。

そんな習近平政権の暴走を食い止めるために、日本人と日本がどういう道をとるべきか一緒に考えてみましょう。

福島香織

もくじ

第2章 今、ウイグルで何が起こっているのか？

第3章 日本人が知っておくべき「習近平」という〝災い〟

第4章　〝チャイナ・リスク〟と日本の対中戦略

特別対談　ムカイダイス×福島香織

中華人民共和国の行政区分と周辺国

※本書の第１章、第３章の一部は福島香織:著『新型コロナ、香港、台湾、世界は習近平を許さない』(小社刊)、第２章の一部は福島香織：著『ウイグル人に何が起きているのか 民族迫害の起源と現在 』(PHP 新書) を参考に大幅に加筆修正しております。
※敬称につきましては、一部省略いたしました。役職は当時のものです。
※写真にクレジットがないものは、パブリックドメインです。

第1章

世界が中国の〝正体〟に気づいた香港問題

香港は中国に「二度」返還された⁉

香港は中国に「二度」返還されたといわれています。

「一度目の返還」はいうまでもなく1997年、すなわち香港がイギリス統治下から中国にハンドオーバーされたことです。このとき、イギリスと中国による国際的な合意のもと、中国とは異なる政治・経済体制が香港で維持されることになりました。

いわゆる「一国二制度」です。

当時つくられた香港基本法（香港にとっての憲法）の付属文書一（香港特別行政区行政長官の選出方法）、と付属文書二（香港特別行政区立法会の選出方法および表決手続）により、香港で普通選挙が実現できる道筋が示されました。いうなればこれは、イギリスが香港に置き土産として残した〝民主化の種〟でした。

この付属文書が与える普通選挙への道筋があったからこそ、香港市民は希望を失わずに、法治と自由と民主が取り戻せると信じて、社会運動、デモへの参加を継続してきました。

しかし、2021年3月11日、中国共産党政権はそんな〝香港の希望〟をあっさりと奪います。この日、北京で開催された全人代（全国人民代表大会）において、香港の選挙制度の「改正」に関する決定が賛成2895票、棄権1票、反対0票で採択されました。

これにより、香港基本法の従来の付属文書は全人代による新たな付属文書に置き換えられ、中国当局が香港の選挙を完全にコントロールできるようになったのです。

国際社会や香港市民は、これを「二度目の返還」と呼びました。

〝香港の夢〟を踏みにじる選挙制度「改正」

では、この全人代の決定で、香港の選挙制度の何がどう変わったのでしょうか。

おおよその内容としては次の通りです。

まず、行政長官を選出する香港の選挙委員会が1200人から1500人に拡大されます。

これまでは選挙委員会委員は、「商工・金融界」「専門職業界」「労働・福祉・宗教界」「政界」の4大業界から選ばれていましたが、拡大後はこれに「全人代・政治協商」枠が加わります。

ようするに、行政長官を選出する選挙委員会にいっそう〝親中派〟が増えるというわけです。

選挙委員会は1人1票、無記名投票で行政長官を選出しますが、当選には選挙委員会委員の過半数以上の支持が必要になります。

さらに、行政長官選挙に出馬するためには、現行法令では、香港永住権の保持や外国居住権をもたないことなどの基本資格を満たす者で、150人以上の選挙委員の指名を獲得できれば立候補の届け出が可能でした。しかし変更後は選挙委員188人以上の推薦が必須で、しかも先に記した5大業界のそれぞれ15人以上が推薦メンバーに含まれていなければならないことになりました。

中国全国人民代表大会（香港選挙制度の見直し決定　2021年3月11日）©AP/アフロ

また、立法会の定員を現行の70議席から90議席に増やすことになりました。これまでの選挙は選挙区ごとの直接選挙枠が35議席、職能・業界別団体による間接選挙枠が35議席（5議席の区議枠を含む）でしたが、先にも述べた通り、ここに新たな、全人代代表・政治協商委員が大量に入った選挙委員会枠が追加されます。選挙委員会枠は40議席、職能・業界別団体による間接選挙枠は区議枠がなくなり30議席、直接選挙枠がわずか20議席になります。

ようするに、もともと親中的だった選挙委員会委員は、全人代や政治協商委員ら親中メンバーが増えてますます親中的になる。そのうえ、立法会の議席は直接選挙枠が減らされた、ということですから「今まで以上に香港市民の民意が反映されにくくなる」というわけです。

この結果、次の立法会選挙では、民主派は、過半数どころか3分の1以上の議席を確保することさえ難しくなります。それはつまり、香港の命運を決める重大法案の議決を阻止することも不可能だということです。

加えて、今回の「改正」では、候補者資格審査委員会が新設され、選挙委員会委員候補人、行政長官候補人、立法候補選挙人の資格を審査することになりました。

候補者は「愛国者」であることが必須です。

肝心の「愛国者」の判断基準については明らかにはされていませんが、中国共産党に対して異見をもつ人間や、民主派を完全に排除するつもりであることは明らかでしょう。

私も長年香港を取材してきた人間のひとりとして、香港の人々がずっと目指していた行政長官普通選挙の夢がこんなかたちで踏みにじられてしまったことが残念でなりません。これまで普通選挙実現を夢見て戦い、投獄され、血を流し、時に命まで落としてきた人たちのことを思うと、本当に言葉を失います。

SARSで〝目覚めた〟香港

ここで香港市民が自由と民主化を求めて戦ってきた歴史を簡単に振り返ってみたいと思います。

1997年の香港返還後、香港市民が中国共産党に強い不信感を抱くことになった最初の大きなきっかけといえるのが2003年のSARS（重症急性呼吸器症候群）の流行でした。

SARSは原因不明の急性肺炎として2002年11月に中国南部の広東省で発生しましたが、中国共産党によって2003年4月まで隠蔽《いんぺい》されてきました。

その結果、北半球のインド以東のアジアやカナダを中心に感染が拡大。2003年3月12日にWHO（世界保健機関）から「グローバルアラート」が出されて同年7月5日に終息宣言が出されるまで、広東省や香港を中心に全世界で8096人が感染し、774人が死亡しました（WHO発表）。

香港のように人口が密集し、中国との人的交流量も大きい、小さな街は、中国でいったん感染症が起きればそのウイルスの流入をコントロールすることは困難です。

そのため、当時はメトロポールホテルやクイーンメアリー病院、アモイ・ガーデンズなどで、いくつもの大規模集団感染が発生し、国際ハブ空港でもあった香港から感染が世界に飛び火してしまいました。

香港人はこのSARS危機で、忘れかけていた中国共産党の隠蔽体質――政治優先、大衆の人命軽視の恐怖を思い出したことでしょう。SARSの隠蔽が明るみに出たあと、中国共産党はものすごい強権をもって封じ込め作戦を行ったからです。これによって一気に香港市民の反中感情が爆発しました。

董建華

一方、中国共産党は香港の反中感情を抑え込むべく、当時の董《とう》建華《けんか》行政長官に「国家安全条例」を強引につくらせようとしました。〝反中思想〟の香港人を政治犯として逮捕できるという法律です。それは香港の司法の独立を完全に否定し、香港の核心的価値である〝法治〟を否定するものでした。
この中国共産党側の動きに対し、香港の返還記念日である

２００３年7月1日、国家安全条例制定に反対する51万の香港市民が平和デモ行進を行いました。香港が中国に返還されて以降最大規模のデモです。

「時代遅れ」だった民主派

香港市民たちが国家安全条例制定を阻止すべく立ち上がった51万人デモは、時の胡錦濤政権を脅えさせました。そして、このとき、胡錦濤は、香港人のデモの要求に従って「国家安全条例」をひとまず棚上げにします。今の習近平政権とは違い、胡錦濤政権は実に慎重だったわけです。国際金融都市である香港でこのまま大規模なデモが続けば、胡錦濤政権がひっくり返ることもありうる――そのような危機意識をもって胡錦濤政権が51万人デモに対応したことを、私は当時、共産党官僚筋から教えてもらいました。

このとき、胡錦濤政権が置かれていた状況についてもう少し触れておくと、胡錦濤政権にとっての〝敵〟は香港市民ではなく、いわゆる「江沢民院政」でした。

江沢民の懐刀《ふところがたな》で、謀略にたけた当時の国家副主席・曾慶紅《そうけいこう》が政治の実権を奪うことを胡錦

胡錦濤

濤は恐れていました。香港はその曾慶紅の仕切るインテリジェンスが暗躍している地域でもありましたから、胡錦濤も慎重にならざるをえなかったのです。

また、胡錦濤は、香港市民が欲している民主主義の証《あかし》でもある行政長官の普通選挙についても、2007年以降に検討するという姿勢を見せました。これはもちろん、香港人を騙す〝フェイク〟だったと思われますが、少なくとも香港人の怒りは、ここでいったん収まります。

頭のいい胡錦濤はその後、国家安全条例については言及しなくなりました。その代わり「中国と香港間の経済貿易緊密化協定（CEPA）」を結び、香港と中国の経済一体化を進めます。これにより香港経済は中国の経済成長の恩恵に最も浴することとなりました。すると、香港の世論は一気に中国寄りになり、香港人があれほど嫌悪していた普通話（標準の中国語。香港ではもともと広東語と英語が共通語だった）を、ビジネスのためと割り切って積極的に使うようになりました。

この流れのなかで、民主派も衰退していきます。

2004年の立法会選挙では親中派が過半数を取り、2008年の選挙では民主派がかろうじて3分の1の議席を守りましたが、この頃になると香港の世論はもはや「民主派は時代遅れ」と思うようになっていました。

こうして経済を中国に取り込まれると、香港のメディアも中国系スポンサーの顔色をうかがうようになり、中国批判をしなくなっていきました。私の記憶では、当時の香港人のアイデンティティは「香港人であり、中国人である」という意識の人が多数派だったと思います。

香港人が中国人の代わりに尖閣上陸

香港人の中華アイデンティティ、すなわち「中国を中心とする中華民族の一員である」という意識は、中国が日本を抜いて世界第2位の経済大国になった2010年あたりがおそらくピークでした。

そして、2012年に入ると、香港人の中華意識は、中国人に代わって尖閣《せんかく》諸島に上陸するほどにまでなっていました。この年の8月15日には、香港保釣行動委員会〈魚釣島《うおつりじま》〈尖閣諸島〉

を中国の領土として防衛するための民間団体）のメンバーが、中国と台湾の旗を香港旗とともに掲げて尖閣諸島に上陸し、沖縄県警に不法上陸で現行犯逮捕されて強制送還されるという事件まで起こっています。

ちなみに、こうした活動には民主派の人々も加わっていました。

民主派の人士を含めて、香港人には中国・台湾とともに「中華民族の一員」だという意識がある。中国人が自由に表現できないぶん、表現の自由を有する我々香港人が〝中華民族の一員〟として魚釣島《ディアオーユーダオ》（魚釣島の中国側の呼称）の領有を主張するのだ――当時保釣行動委員会の顧問で、香港人の尖閣上陸活動に資金援助している実業家・劉熊夢から、私はそういう主旨の説明を聞いたことがあります。

もっとも、劉熊夢のこうした主張は、2014年のいわゆる「雨傘運動」を機に、大きく変わります。雨傘運動以降、彼は尖閣上陸活動の支持をやめて、中国への抵抗感と日本への親近感を強調するようになっていました。

中共の〝洗脳教育〟に騙されなかった香港の若者たち

胡錦濤政権の「経済で静かに香港を飲み込む」方法は、確実に香港を内側から浸食し、このまま脅しも何も必要なく、自然に香港は中国に同化していくと思われていました。

ですが、胡錦濤政権のこの手法があまり効かない人たちがいました。経済活動にまだ参与していない、無垢《むく》な90年代生まれの10代の学生たち――今では香港デモを象徴する存在になっている周庭《しゅうてい》（アグネス・チョウ）や黄之鋒《こうしほう》（ジョシュア・ウォン）、林《りん》朗彦《ろうげん》（アイヴァン・ラム）らの世代です。

林朗彦（左）

胡錦濤政権の末期、中国共産党は、香港で愛国国民教育の義務教育化を2012年9月までに実現し、3年後に全面導入を実現しようとしていました。

これに猛烈に抵抗したのが、香港のティーンエイジャーたちでした。国民教育科の授業には「中国共産党は進歩的であり、無私で団結している」「米国は政党間の争いが激しくて人民が苦しんでいる」などといった、明らかな嘘の内容が盛り込まれています。彼らはそれを「洗脳教育」だと喝破《かっぱ》しました。

そして、２０１１年５月には、黄之鋒・林朗彦らが主導して、国民教育の義務化に抵抗する組織「学民思潮 反対徳育及国民教育科聯盟」を結成（のちに名前を「学民思潮」に簡略化）。２０１２年３月以降、デモやハンガーストライキ、公共広場の占拠などを通じて、この国民教育科導入の３年延長を訴える運動を展開しました。

黄之鋒

このティーンエイジャーの〝熱〟は大人たちにも伝わっていきます。若者たちの声を通じて、彼らの保護者や教師たちも次第に国民教育のおかしさに気づき、ティーンエイジャーたちの〝政治運動〟は大きく広がっていきました。２０１２年８月30日から香港政府庁舎前を黒いＴシャツを着た市民たちが連日抗議集会を行い、９月７日夜には12万人（主催者発表、警察発表は３万人）が集まるまでになったのです。

結局、この抗議運動によって香港政府は翌８日に「国民教育の義務化」を見送り、導入するかどうかは学校ごとの判断に任せるとしたのです。

中共が香港メディアに行った恐るべき〝脅迫〟

2014年の雨傘運動や2019年の逃亡犯条例改正に反対する「反送中」デモのコア層になったのは、黄之鋒や周庭、林朗彦をはじめとする「学民思潮」世代の若者たちです。

自由にインターネットを使い、英語ができて、視野が世界に向いている彼ら香港のティーンエイジャーたちは、国民教育科で教えられるような「米国の二大政党間の争いで米国人が苦しんでいる」「中国共産党が無私の素晴らしい執政党（支配政党）」だ」という内容を信じてしまうような〝情弱（情報弱者）〟ではありません。かといって、それが〝嘘〟だとわかっていてもビジネスのためなら信じたふりをできるほど大人でもなかったのでしょう。

彼らのデモは、2004年以降、チャイナマネーに熱狂して浮かれていた大人たちを目覚めさせるきっかけになりました。

大人たちが冷静さを取り戻した頃には、香港の一国二制度は風前の灯《ともしび》状態でした。

一番大きな問題は、香港メディアが中国の宣伝機関に成り下がっていたことです。

2010年から2011年にかけて香港の二大テレビ局であるATVとTVBへのチャイナ

マネーの浸透が進み、両局はCCTV（中国中央テレビ）化していました。

また、2011年3月には、サウス・チャイナ・モーニングポストの良心的総編集長の蔡翔祁が中国関連報道に対する姿勢を巡って親中派オーナーの郭鶴年（ロバート・クォック）と対立し、辞職しています。

香港市民の多くが「香港メディアの死」を悟ったのが、李旺陽（リー・ワンヤン）事件です。これは私にとっても非常にショッキングな事件でした。

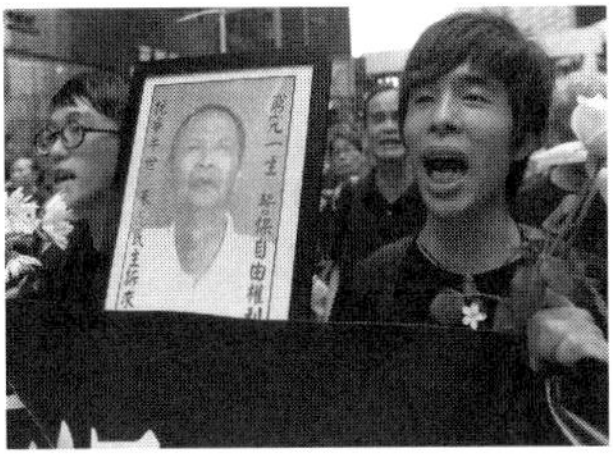

中国人活動家の不審死の真相究明求を求めたデモ　©ロイター／アフロ

天安門事件当時の農民運動家・李旺陽が22年に及ぶ禁固刑の刑期を終えて出所した直後の2012年5月22日、香港メディアの取材を受け、獄中で受けた凄惨《せいさん》な拷問《ごうもん》体験を語り、その報道が6月2日に香港有線テレビで放送されました。

すると、放送間もない6月6日、李旺陽は入院先の病院内で不自然な〝自殺〟を遂げます。

香港メディア関係者は、これを中国共産党の〝脅迫〟と受け取りました。

つまり「中国に都合の悪い人物に取材したり、中国に批判的な内容を報道したりすれば死者が出るぞ」というメッセージだと認識したわけです。

記者というのは、自分自身の命の危険に対しては、ある程度果敢に抵抗できます。しかし、自分の取材した相手が殺されるということに対しては、なかなか耐えられるものではありません。

李旺陽事件は、そういう意味でも、メディア関係者に対する「最も凶悪な脅し方」だったといえます。

李旺陽の不審死について、香港メディアはほとんど沈黙してしまいました。香港人の多くは、この事件を通じて「香港メディアはすでに死んでいる」ことを思い知らされたのです。

全世界が注目した雨傘運動

こうして香港人たちが危機感に目覚め始めたその矢先の2012年11月、胡錦濤から習近平に権力が禅譲されます。

習近平政権は、胡錦濤政権ほど慎重ではなく、実にあからさまに、直接的に「香港の中国化」

を恐ろしいスピードで、強引に進めていきました。

そのひとつが、胡錦濤政権が香港人を従順にさせるために鼻先にぶら下げていた「２０１７年の行政長官選挙で普通選挙が導入されるかもしれない」という期待を完全に潰したことです。

２０１４年８月31日に中国の全人代は１人１票の普通選挙を導入するにあたり、「行政長官候補は指名委員会の過半数の支持が必要であり、候補は２、３人に限定する」と決定しました。ようするに、中国共産党のいいなりの候補者を先に指名委員会が選び、それを香港有権者が投票するということで、結局のところ中国共産党の〝傀儡《かいらい》〟以外の行政長官を選べない仕組みを「普通選挙」と名付けて、香港人を納得させようとしたわけです。

この習近平政権のやり方に納得のいかない若者たちが、２０１４年に俗にいう「雨傘運動」を起こします。

９月26日から学生たちは授業をボイコットし、街に抗議デモに出るようになりました。デモは次第に拡大し、やがて２０１１年に学民思潮が行って成功した、政府庁舎前広場の座り込み占拠の再現というかたちに発展していきます。

すると、翌27日未明、香港警察が若者たちに向かって催涙弾を撃ち込み、強制排除に乗り出

2014年の雨傘運動

しました。80発以上の催涙弾を受けながら、若者たちが色とりどりの雨傘でよけながら抵抗する姿が全世界に発信されました。

これに追随するかたちで、香港大学法律学部の副教授だった戴耀廷《たいようてい》、社会学部教授だった陳健民、牧師の朱耀明らが、28日に「オキュパイセントラル」、つまり「金融街占拠」を呼びかけます。こうして79日に及ぶ香港各地での公道占拠による抵抗運動・雨傘運動（雨傘革命）が始まったのです。

香港人に衝撃を与えた銅鑼湾書店事件とは？

結果からいえば、雨傘運動は「普通選挙の実施」という目的を達成できず、いたずらに長期化したことで香港社会の疲弊《ひへい》を生み、求心力を保てずに収束するかたちになりました。多くの人たちが運動は挫折したととらえています。

雨傘運動のあと、香港で再び大規模なデモが起こるのは2019年の逃亡犯条例改正案に反対したデモですが、その間の2015年に今の香港の惨状につながる重大な出来事がありました。

それが銅鑼湾《どらわん》書店事件――『習近平と彼の愛人たち』という政治ゴシップ本を出そうとした銅鑼湾書店関係者5名が相次いで失踪。実は中国当局によって密かに越境逮捕され、中国に連行されていたという事件です。

毛沢東《もうたくとう》、鄧小平、江沢民、胡錦濤らの性遍歴のたぐいの本など、これ以前にも過去数十年、香港で無数に出版されています。その中身も、知識人層が興味をもつようなものではなく、小市民と大陸（中国本土）の客が買って一読し、床屋談義のネタにする程度のものです。

銅鑼湾書店の外観

そんなものを誰が真《ま》に受けるのかと思いきや、習近平が真に受けました。

なんと特別に工作員を派遣し、タイ・マカオ・香港の国境を越えて、この出版案件にかかわった書店関係者を誘拐。秘密裏に拘束して数カ月の尋問を行ったのです。

これまで公然と国境を超えて誘拐するということのようなや

り方は、中共建国以来、ほとんどありませんでした。東西冷戦時代ですら、聞いたことがありません。習近平政権になってやり始めた手法です。

そのため、これをきっかけに、香港の出版界は冬の蝉のごとく静かになりました。

そして、誰もが自分も危ないと感じ、時政系の書籍は瞬《また》く間に姿を消しました。

2019年6月に香港の特別行政長官・林鄭月娥《りんていげつが》（キャリー・ラム）が強く推進した逃亡犯条例（犯罪人の引渡条例）改正で、中国当局による〝越境逮捕〟、〝越境誘拐〟が実質合法化されそうになったとき、香港市民が怒りを爆発させた背景には、この銅鑼湾書店事件の恐ろしい記憶があったのです。

香港市民の7人に1人が参加した大規模デモ

香港で逃亡犯条例改正に反対する大規模デモが起きたのは2019年6月9日。世界中のメディアがこれをトップで報じました。主催者発表103万人（警察発表は24万人）というデモは、1997年の香港返還以来、最大規模です。

外務省HPのデータによると2019年の香港人口は約752万人ですから、およそ7人に1人の香港人がデモに参加したことになります。

このデモの目的は、香港で捕まえた犯罪人を中国に引き渡すことができるようにする逃亡犯条例改正を阻止することでした。香港では「反送中（中国に人を送ることに反対する）」行動と呼ばれていました。

2019年6月9日のデモ

この条例改正案が成立すれば、デモの首謀者や民主派の活動家が国家分裂や政権転覆扇動の容疑者として中国に引き渡されかねない。だから今年が香港での大規模デモができる最後の年になるかもしれない――そうした強い懸念が、7人に1人の香港市民をデモへと足を運ばせたのです。私の香港人の若い友人たちも、悲愴な思いでデモに参加し、現地の写真や映像などをフェイスブックのメッセージで送ってくれました。

デモを呼びかけたのは、2003年の51万人デモを成功させて以来、毎年7月1日の香港返還記念日に平和デモを実施している香港民間人権陣線（民陣線）で、ここには香港のほとんどすべての民主派・人権

岑子杰

組織にあたるおよそ48組織が属しています。当時のリーダーは岑子杰《しんしけつ》（ジミー・シャム）。雨傘運動でも中枢で活躍した人物です。

民陣線は、毎年数十万人単位規模のデモを組織する「平和デモ運営のプロ」ともいわれる組織です。１００万人超えのデモを、秩序を保ったまま成功させることができるのは世界広しといえども香港人ぐらいしかいないかもしれません。

このときのデモを、上空からドローンで撮影した映像を見ると、「雨傘運動」の象徴である黄色の傘をさして参加する人たちの姿がかなりありました。このデモは、雨傘運動の挫折以降、膨らんでいた香港市民の中国への不信感を5年ぶりに吐き出すきっかけになっていたのです。

中国と犯罪人引渡協定の締結は何を意味するか？

そもそも、２０１９年の香港デモで問題となった「逃亡犯条例」は、イギリス統治時代の１９９２年に制定されました。いわゆる犯罪人引渡協定であり、外国で罪を犯した容疑者が香港に逃げ込んだ場合、逃亡犯条例に基づく協定をその国と結んでいれば、香港側が要請に従って容疑者を逮捕し、引き渡すことができるというものです。反対に、犯罪容疑者が香港から外国に逃げた場合も同様に引渡しの要求ができます。

逃亡犯条例に基づく犯罪人引渡協定は、司法制度と刑罰の制度が整い、人権が十分に守られている政府とのみ結ぶ、ということが前提条件になっていました。だからこそ「香港以外の中国その他の地方にはこの条例を適用しない」という適用除外条項が付けられていたのです。これは、中国を信用していなかったイギリスが、犯罪人引渡制度を中国に悪用させないために付け加えたとみられています。

また、この適用除外条項は、香港が中国本土と異なる「司法の独立」を有することを裏付けるものでもありました。つまり、この条項の存在自体が、香港の法治が一国二制度によって守られている証だったわけです。ですから、当時、香港市民は逃亡犯条例の改正でこの条項を削除することが、香港の司法の独立の決定的な崩壊、すなわち香港の法治が失われ、一国二制度が形骸化してしまうと考え、必死に抵抗したのです。

実際のところ、１９９７年の香港返還以降、香港警察は中国公安警察と互いに連絡を取ったうえで「国外追放」というかたちで容疑者引渡しを行っていました。また、銅鑼湾書店事件の例をみてもわかるように、逃亡犯条例の改正が行われなくても、中国公安警察はルール無視で勝手に捕まえたい人間を秘密裏に逮捕している状況があったわけです。

香港の司法の独立など、とっくに崩れていたのが現状でしたが、〝建前〟まで崩してしまえば、もはや中国の無法、横暴、人権無視を批判する根拠すらなくなってしまいます。だから「今回の逃亡犯条例改正によって、中国共産党が国内でやっているような政治犯・思想犯の逮捕を香港でも行えるようになるかもしれない」と民主派の立法会議員たちは抵抗したわけです。

また、当時香港はアメリカやイギリスなど約20カ国との犯罪人引渡協定に調印していましたが、そうした国々に何の説明もなく、条例の適用範囲を中国にまで広げてしまうことは、国際的にも大きな問題だという話になりました。

西側諸国にいわせれば、この条例に基づいて香港と犯罪人引渡協定に調印しているのは、自分たちと同じ民主主義に基づく司法制度を整えている政府同士だという大前提があるからです。だからこそ、香港とは犯罪人の引渡しを認めても、中国とは認めていない国も多いわけです。

西側諸国からすると、逃亡犯条例が〝改正〟されて、香港と中国の間に犯罪人引渡協定が成立すれば、香港を経由して自動的に中国へ容疑者を引き渡してしまうことになるではないか、という不信感が生まれます。西側の自由社会にしてみれば、中国のような、法治国家でないところに容疑者を引き渡すわけにはいきません。

中国と犯罪人引渡協定を結んでいる国も約40カ国ありますが、その多くが中東や中央アジア、東南アジア、アフリカなどの国々であり、民主主義の先進国家はほとんど含まれていません。ちなみに、こうした協定に基づき中国に引き渡されている「犯罪容疑者」には、ウイグル人留学生や民主活動家らも含まれています。

香港デモを〝暴徒〟だと思った日本人へ

ところで、当時日本のメディアのみを通じて香港デモの様子を見ていた人たちからすると、もしかしたら香港の若者たちが〝暴徒〟のように思えたかもしれません。実際、林鄭月娥は、デモを「組織的暴動の発動」と呼んで警察武力による強制排除に乗り出し、デモ隊に「暴徒」のレッテルを張って、５人を暴動罪で逮捕しました。

確かに香港デモの参加者のなかには、警官との衝突を恐れず、時として破壊活動などの実力行使も辞さない「勇武派」と呼ばれる若者たちがいました。

日本のメディア（特にテレビメディア）を通じて見聞きした勇武派の行動は、我々日本人からするとかなり過激な印象を受けたかもしれません。ですが、平和な民主主義・法治国家の日本で暮らしている一般的な日本人の感覚で彼らを「暴徒」と断ずるのは、私としては違和感を覚えます。

私自身、当時香港の街を歩き回って取材し、おおよそのデモの状況や背景をある程度把握しているつもりです。彼らのデモはSNSによるネットワークを核としていて、あえてリーダーをつくらないことで長期的に運動を続けるという狙いであり、勇武派の人たちも含めてデモ参加者の個々の意識が高く、比較的自分たちの行動をよくコントロールできていた印象を受けました。決して林鄭月娥が言うように「暴徒化」しているものではない、というふうに私自身は感じました。

むしろ暴力が常軌を逸していたのは警察のほうです。

彼らは予告なくデモ隊に向けて催涙弾を打ち込み、しかも、人に当たるように平行に撃ち込んでいました。

鎮圧兵器を警察が使用するとき、本来ならブルーフラッグ（即刻解散せよ）、ブラックフラッグ（武器を使用する）、オレンジフラッグ（すぐさま立ち去らねば発砲する）、レッドフラッグ（衝突をやめねば武器を使用する）などの警告バナーを出すというルールがあります。

しかし、警察は当時このようなバナーを出さずにデモ隊に向けて発砲し、多数の負傷者を出していました。また、その他の場面でも、警察の過剰な暴力が目立っていました。抵抗の意志をもたず、武器をもっていない若者に対しても、執拗に殴る蹴るの暴行をして、地面に顔を押し付けて拘束する場面を私は何度も見かけました。

フルフェイスの防ガスマスクを装着する著者

私は香港のデモに対するこのような警察の暴力を目《ま》の当たりにして、かなり香港のデモ隊に対して同情的でしたし、香港の勇武派の若者が過激化するのもいたしかたない面がある、と思っていました。

ですが、当時日本のテレビメディアでは、有識者のコメンテーターが「香港のデモは若者のほうが悪い」「香港の若者が、香港市民の迷惑を顧みずに暴れている」というニュアンスで批判することも少なくありませんでした。２０１９年10月１日には香港警察が男子高校生の左胸を実弾で撃つというショッキングな事件があったのですが、それについても日本の有識者と呼ばれる人たちが「警察も怖かったに違いない」「正当防衛だろう」「日本の警察も同じことをする」といった、いいかげんなコメントをしていたことを覚えています。

こうした認識は、香港問題の深刻さを理解していないゆえのものだと思いますし、実際のところ当時の香港の世論ともかなりかけ離れていたと思います。

周庭はデモの「暴徒化」をどう受け止めたか？

２０１９年10月初旬に香港を訪れた際、雨傘運動で学民思潮のスポークスパーソンとして活動して「雨傘運動の女神」と呼ばれた周庭にインタビューする機会がありました。

このとき、私は「デモが暴力的になっていることをどう思いますか？」と聞いてみました。すると、彼女は「この３カ月間、何度となく日本メディアからそういう質問を受けました。デモのことを、あまり軽々しく暴力的とか暴徒化というのはフェアではないと思います」と言い、こう続けました。

「私たち香港人は民主主義のために、この20年間、いろんな手段を使ってやってきました。今回の運動のなかでも、デモやストライキ、授業ボイコットなどさまざまな穏健で、平和的手段で訴えてきました。でも、こういう手段を使っても香港政府はまったく民意に向き合わなかった。私はもともと非暴力を主張してきましたが、日本の皆さんにはまず、香港人の怒りを理解していただきたい。普通の平和的デモには政府も慣れてしまい、まったく動かない。今のような激しいデモになって、経済にも影響が出て、予測できない事態が起こりうるようになって、政府にとってプレッシャーが強くなった。条例改正案撤回を発表したのも、デモが過激化してからです。平和的手段と急進的な手段、両方とも必要だなと今は思うようになりました」

周庭（右）と著者

さらに彼女は、当時警察の職権乱用がどんどんエスカレートしていき、捕まったデモ隊の仲間たちが虐待やセクハラの被害にさらされていたこと、デモの最前線ではデモ隊が銃を構えた警察官に追われ、反撃しないと殺されるかもしれないという激しい緊張感にさらされ続けていたこと、警官がデモ隊になりすまして火炎瓶を投げ、デモ隊の〝暴徒化〟を煽っていたことなどを語ってくれました。

コントロールの効かなくなった警察と対峙《たいじ》する恐怖というのは、なかなか我々日本人には想像できません。彼女のように実際にそれを経験してみると、「そもそも、権力をもち、いくつもの武器を携えた警察の暴力とデモ隊の暴力を比較すること自体、フェアじゃない」という気持ちになるのでしょう。

周庭とのインタビューの詳細は拙著『新型コロナ、香港、台湾、世界は習近平を許さない』（ワニブックス刊）に載せてありますので、そちらもぜひご覧になってください。

いうまでもなく、周庭自身は「平和デモ派」なのですが、勇武派の立場も理解した彼女の発言には、香港デモの実相と、香港の若者たちの苦悩や葛藤、本音があらわれていると思います。

中国共産党が恐れているのは「暴徒」よりも〝言論の士〟

話が少し前後しますが、周庭の話題が出たついでにひとつ明らかにしておきたいことがあります。

２０２０年12月2日には、黄之鋒、周庭、林朗彦の３氏が前年の香港デモに関して「違法集会を計画的に組織した罪」「他人を惑わし扇動して違法集会に参加させた罪」で、それぞれ禁錮13・5カ月、10カ月、７カ月の実刑判決が言い渡されました。初犯の周庭には執行猶予がつくのではないかというかすかな望みも見事に裏切られ、うなだれて涙を流す彼女の姿には、世界中の「良心」が締め付けられたことと思います。

香港デモには「勇武派」という、中国政府や香港政府がいうところの「暴徒」がいるにもかかわらず、いつも〝首謀者〟として厳しく扱われるのは、黄之鋒や周庭といった平和デモ派の〝言論の士〟です。

なぜでしょうか。

答えは簡単です。中国共産党政権とその傀儡である香港政府にとって、本当に脅威なのは〝暴力〟ではなく〝言論〟だからです。

　すなわち、言論で問題を解決しようとする黄之鋒氏や周庭氏を〝見せしめ〟的に裁くほうが、自由や民主を求める人々に対して「話し合いの余地すらないのか……」と絶望感を味わわせることができるからです。

　一方、外国メディアが黄之鋒や周庭ら平和デモ派を重視するのも、彼らが基本的に〝暴力〟より〝言論の力〟を信じる非暴力派だからです。

　彼らには、中国から新しく移民してきた「新香港人」に対しても香港人であることを認める〝寛容さ〟があります。そして、その根底には「異なる意見も自由に言える社会が民主主義だ」という考えがあるわけです。

　平和デモ派のこうした寛容さは、勇武派の若者たちから時に「生ぬるい」と批判されることがあります。しかし、外国メディアからすると、やはり黄之鋒氏や周庭氏の主張のほうが共感しやすいわけです。もちろん、彼らの愛すべきキャラクターやスター性によるところも大きいと思います。

　手製のプロテクターギアを身に着け、マスクで顔を隠した黒服姿で公共施設を破壊し、火炎瓶を投げて暴力的なレジスタンスを展開する勇武派の若者たちの過激なデモは、確かに香港警察を疲弊させ、習近平政権を本気で怒らせました。また、香港問題の深刻さを世界に認識させる効果もありました。

しかし、彼らはある意味、中国共産党政権からすると〝御《ぎょ》しやすい〟存在です。

〝暴力〟は〝より強い暴力〟で抑え込めばいいだけの話だからです。

ご存じの通り中共政権は、〝暴力〟にかけては世界トップクラスなので、暴力勝負で香港の若者に負けるはずがありません。

劉暁波の追悼デモ

覆面をして暴力で抵抗する彼らは、名もなき「暴徒」として弾圧され、忘れ去られていきます。火炎瓶を投げて逮捕された若者たちは実刑も年単位と重いのですが、世界中のほとんどの人々が彼らの名前を知りません。

一方、優れた言論は国際社会を共感させて〝連帯〟を生み、中国共産党政権へのグローバルな包囲網をつくる可能性を秘めています。

ノーベル平和賞を受賞した劉暁《りゅうぎょう》波《は》氏は獄中死しましたが、彼の起草した「零八憲章」は今でも世界中の多くの人々に読まれ続けています。

この言論の強さ――時に暴力よりも力を発揮する言論の脅威を中共政権はよくわかっています。だからこそ、香港の言論を封じ込めることに心血を注ぎ、「暴徒」よりも〝言論の士〟のほうをいっそう残酷にいじめているのです。

「言論では中国共産党政権には勝てない」と示したいがために。

平和デモから勇武派のレジスタンスへ

話を2019年の香港デモに戻しましょう。

香港市民の約7人に1人にあたる103万人が参加した2019年6月9日の「反送中」デモは、米国民主党議員のナンシー・ペロシに「美しいデモ」と言わしめるほどの整然とした政治運動でした。しかし、その後2カ月の間に、警察の暴力に対抗するかたちで勇武派がデモを主導するようになり、ゼネラルストライキや交通機関の妨害、警察施設の襲撃といったデモ側の「暴力性」が増していきました。7月1日には香港立法会を占拠するという大胆な行動に出て世界を驚かせています。

終始秩序が保たれ、整然とした６月９日の１００万人規模の平和デモは、確かに国際社会をおおいに感動させました。しかし、香港政府はなんら譲歩の姿勢を示しませんでした。それどころか林鄭月娥は、「香港の母親として子供（香港市民）のわがままを許さない」と頓珍漢《とんちんかん》なコメントを出して、条例改正を６月中にも実現する意志を見せました。

そこで平和デモだけでは強い権力を動かすことができないと考える勇武派の若者たちがＳＮＳで連絡を取り合い、「立法会を包囲し、実力で立法会が開催されないようにしよう」と呼びかけました。

何度も言うように、現場の声を聞きながら現地の取材をしていると、当時のデモ隊が決して「暴徒」ではないことがわかります。立法会を占拠した勇武派の若者たちは仲間同士で声を掛け合って冷静さを保ち、破壊活動の対象は香港政府の悪政を象徴する立法会という建物（のなかの最低限のモノ）に限られていました。図書や絵画、文化物などは破壊せず、略奪行為も行っていません。

しかし、限定的にとはいえ彼らが「暴力的」な実力行使に及んだことは事実ですし、彼らの行動に対する香港市民の評価も賛否両論だったようです。

とにかく、この立法会占拠事件は、「反送中」デモの運動の中心が平和デモ派から勇武派に切り替わっていく象徴的な事件でした。

そのため、中国に人民解放軍・武装警察出動という〝大暴力行使〟の口実を与えかねない状況になったと、国際社会も固唾《かたず》を飲んで見守り始めました。「反送中」デモからちょうど30年前に起こった1989年6月4日の悲劇――北京で民主化運動を行っていた学生たちが人民解放軍によって大虐殺された天安門事件の〝再現〟になるのではないか、と。

「反送中」デモは習近平にとって「もらい事故」だった!?

「反送中」デモが始まったばかりの頃は、習近平政権の香港デモへの対応は比較的抑制的でした。私が共産党中央の事情通に聞いた話では、この香港の6月9日の「反送中」デモは、習近平がまったく予想もしていなかった出来事だったようです。

その事情通は、「反送中」デモのことを「習近平にとっては〝もらい事故〟だ」と評していました。

先の銅鑼湾書店事件の例などを見てもわかるように、以前から好き勝手に捕まえたい人間を捕まえてきた中国からすると、逃亡犯条例の改正など実はさほど必要なものではありませんでした。香港政府側からの提案を受けて、それを容認しただけだったようです。

むしろ習近平は、6月4日の天安門事件30周年の香港における追悼集会の方を警戒し、そのための警備強化を指示していました。しかし、天安門事件30周年記念日当日にはこれといって大きな問題が起こらなかったので、習近平はほっとひと安心して、ロシア・中央アジアの外遊に出ました。

習近平

ところがその5日後、ロシア外遊中に「反送中」デモが発生し、10日の国際主要メディアのトップニュースも香港デモ一色になりました。これに習近平は驚き、慌てて林鄭月娥の無能を批判したそうです。

6月15日には林鄭月娥に指示を出して「条例改正案の審議延期」を発表させましたが、それでもデモは鎮静化しませんでした。そのため、中国当局はSNSの書き込みや親中派メディアなどを使って「香港デモのほうが理不尽にゴネている」という

林鄭月娥

方向に世論誘導する作戦にでました。7月1日の勇武派デモ隊による香港立法会占拠事件などは、まさにそういう香港デモの「やりすぎ」感の演出に利用されました。

しかし、「デモを早く鎮静化させよ」と習近平サイドから強いプレッシャーを受けた林鄭月娥が、警察の過剰な暴力によってデモを鎮圧しようとしたため、（日本のメディアはさておき）国際社会はデモ隊の若者の方に同情的でした。

こうしてデモがなかなか鎮静化できないどころか、むしろ勢いづいていることに危機感を覚えた党内では、7月終わりごろになると〝解放軍出動〟の選択肢を含めた意見も出てきたといいます。

党内ではこの一連の香港問題に関して、アメリカが裏で糸を引いているとの疑いをもっていました。香港デモを〝米中対立の延長〟として考えるならば、中国としても簡単には譲歩や妥協ができないというわけです。

香港市民はデモを歓迎していなかった？

２０１９年11月に入ると、勇武派はデモの拠点を市街から香港五大学（中文大学、理工大学、城市大学、香港大学、浸会大学）へと移しました。いわゆる「大学戦争」が始まったわけですが、結果だけいうと、これは完全な戦略ミスでした。この大学戦争を通じて、勇武派の若者たちの多くが一網打尽に逮捕されてしまったのです。

香港理工大学で頑張る学生たち、催涙弾を防ぐマスクをつける（アレックス提供）

これはおそらく、香港警察側の作戦というべきものだったでしょう。同年11月24日に区議会選挙（香港の地方議会の選挙）が予定されていたのですが、その前に、抵抗勢力を徹底的に封じ込めようと考えたのかもしれません。

私は11月22日に香港入りしたのですが、警察に包囲された香港理工大学内にはまだ抵抗者たちが残っているとはいえ、数十人から数人に減っていました。市民は久しぶりに催涙弾も勇武派デモも火炎瓶もない穏やかな日常を満喫していました。その頃になると「大学に闘争の場を移したのは失敗だった」という声がデモ参加者や支持者の間でも聞こえてくるようになりました。

こうした状況から、当時親中派の間では「市民は、やはりデモが繰り返される日常より平穏を望んでいる」という見方が共有されていたようです。

一方、デモ支持者の友人たちもそんな空気に影響され、もうすぐ始まる区議会選挙に関しても「民主派の圧勝とはならないかもしれない。親中派のバラマキも例年より多いし、大学闘争も敗北したし……」と、いつになく気弱な発言をしていたのが印象的でした。

〝町内会役員レベル〟の選挙に世界が注目した理由

香港の区議会選挙は479議席中、452議席が直接選挙で選ばれます。香港の選挙のなかで最も民意を反映しやすい選挙です。

ですが、区議の仕事自体の政治権限は狭く、議員というよりは町内会の役員を選ぶような感覚です。投票日当日に投票場近くで福袋を配って集票したり、コネを使って票を取りまとめたり、実に〝ゆるい〟選挙なのです。

従来、若者はあまり投票に行かず、投票率も前回は47％程度。資金力があり、組織票をもち、政府や立法会にコネをもつ建制派（体制派）や親中派が圧倒的に有利で、実際、２０１５年11月に行われた前回の選挙は議席の７割が親中派・建制派でした。

ただ、２０１９年の区議選は〝誰を選ぶか〟ではなく、〝民意を示す行動〟という意味のほうが大きいので、海外メディアも注目していました。ようするに、若者たちのデモを香港市民が支持し続けるかどうかが、はっきりと投票で示されるというわけです。

そのため、中国・香港政府からすると、民主派に過半数の議席をとられることなど絶対にあってはなりません。習近平政権のメンツにもかかわる問題ですから、私も含め民主派を支持する誰もが、選挙の中止もしくは延期の可能性は当日までありうる、と懸念していました。

実際、林鄭月娥行政長官は11月20日の段階でも区議選挙延期・中止の可能性を示唆《しさ》していました。なので、民主派・反体制派は香港政府側に選挙中止の〝口実〟を与えないためにも、デモを控え、問題視されそうな言動も控えていたとみられます。彼らのこの慎重さのおかげで「市民はデモに疲れており、秩序の回復を願っている」といった親中派の主張が〝本当のように〟

聞こえるムードができ上がっていました。

そして投票日。

各投票場は早朝から長蛇の列でした。中止されるかと心配したのが嘘のように、午後も続々と有権者たちが投票場を訪れていました。

午後3時の時点で前回の選挙の投票率を超えました。投票率が高いほど民主派が有利なので、夕方には民主派の圧勝が確信されていました。

午後10時半の投票締め切りまで、あっけないほど何事もなく選挙は終了。深夜に大勢が判明したときは、各選挙区で有権者が香港国歌ともいえるプロテストソング「願栄光帰香港（香港に再び光あれ）」の合唱が響いていました。

結果は、515人立候補した民主派が452議席中の388議席を獲得。建制派は498人立候補し62議席獲得。あと2議席が独立派、非同盟系となりました。

民主派の圧勝です。

全得票数を比較しても294万票中167万3991票（約57％）が民主派で、建制派はあからさまなバラマキ選挙運動をやったにもかかわらず、122万999票（約42％）にとどまり、大差で敗れました。

当選者のなかには、選挙運動中に暴漢に襲われて大怪我を負った、大規模デモの主催組織・民間人権陣線のリーダー、岑子杰はじめデモ参加者が数多くいました。

なぜ中国・香港政府は選挙を中止・延期しなかった？

２０１９年の香港区議会選挙の結果で興味深いのは、デモに参加して逮捕された経験をもつ候補者26人中21人が当選したことと、香港警察や中国公安に強いコネと利権をもつ「警察の顔」ともいえる現職の何君堯（ユニウス・ホー）が落選したことです。

何君堯は警察官僚家庭に生まれ、現職の立法会議員でもあり、香港警察と香港マフィア、そして中国公安との癒着《ゆちゃく》がささやかれる大物政治家です。選挙運動中、民主派の暴漢にナイフで刺されるという事件に遭い、同情票を買うかと思われたのですが、そんな予想は完璧に裏切られました。おそらく、ほとんどの有権者がその事件自体が〝自作自演の演出〟だと見透かしていたのでしょう。

「前科あり」のデモ参加者候補の多くが当選し、警察の代理人の何君堯が落選した結果は、香港市民がいかに香港警察に不信感を募らせているのかを示したともいえます。

選挙翌日、香港親中派紙・大公報は「反体制派が選挙の公平性を破壊した」「外国勢力が干渉した」「陰謀のせいだ」と、この選挙結果が民意でないと懸命に言い訳していました。中国紙は、新華社の「社会の動揺が選挙のプロセスを妨害した」といった短い論評を転載するにとどまりました。

何君堯(区議会議員選挙 投票日)©AP/アフロ

選挙翌日の中国外交部の定例記者会見で、報道官は、選挙結果についての受け止めの感想を聞かれても「中国政府は国家主権、安全、発展利益を守る決心を変えることなく、一国二制度の方針を変えず、いかなる外部勢力の干渉にも反対する」などと香港デモに関する定型文の答えを繰り返すのみでした。この親中派、中国側の硬直した反応を見るに、相当衝撃を受けていることがうかがえます。

ここで奇妙に思えるのは、なぜ中国政府・香港政府サイドが区議選挙を延期もしくは中止しなかったのか、ということです。すでに緊急法が施行されており、大学での戦闘の激化を理由に林鄭月娥長官の判断で選挙を中止するタイミングはあったにもかかわらず。

中国の立場からいえば、選挙を中止して、〝大学で暴れた若者たち〟を「テロリスト」として粛清したほうが、香港問題を一気に片付けられたはずです。

しかし、選挙による民意で、市民の６割が警察の暴力を批判しているということを示してしまった以上は、今後、大規模デモを許可しなかったり、催涙弾で強制排除したりするやり方は、どんな理由をあげても正当性をもたなくなってしまいます。だからこそ、民主派の圧勝を確信していた私は、投票日当日まで選挙中止を恐れていたのです。

これについて、米外交誌『フォーリン・ポリシー』のシニア・エディターで、かつて中国共産党機関紙人民日報系英字紙『グローバル・タイムズ（環球時報英語版）』の外国籍編集者を勤めたこともあるジェームズ・パーマーが、非常に興味深いコラムを書いていました。

内容をひと言でいうと、習近平政権自身がこのような区議選挙の結果をまったく予想しておらず、建制派・親中派の圧勝を信じて疑わなかった、というのです。

中国中央英字紙『チャイナ・デイリー』などの記者たちから聞いた情報として、中国紙は親中派圧勝の予定稿しか用意しておらず、「何君堯が何票伸ばした」といった、見当はずれの予定稿もあったとか。

このことからパーマーは「中国共産党の上層部が、香港について自分たちが発信したプロパガンダを信じ込んでいる」と推測していました。これはパーマー自身が中国の対外プロパガンダメディアともいうべき『グローバル・タイムズ』紙に7年間もいて、中国の大外宣（大対外宣伝政策）を熟知していたからこその指摘でしょう。

投票日の『チャイナ・デイリー』紙には親中派の勝利を予想した原稿が掲載され、高い投票率は「香港の混乱がこれ以上続かないようにという願いの表れ」と報じていました。そこにはプロパガンダの方便はなく、本気で『チャイナ・デイリー』上層部が親中派の勝利を信じて記事にしていた、というわけです。

権力の座を得てからの習近平は、反腐敗キャンペーンを名目に空前の党内粛清を行ってきました。この結果、習近平が不機嫌になるような情報を上げる官僚は激減していました。これは習近平に対する官僚たちの消極的な反抗ともいえますし、あるいは習近平が機嫌を悪くすることを言うと粛清されかねないという恐怖から何も言えなくなったともいえます。

古今東西、独裁者の周辺には〝イエスマン〟しか集まらないものです。

その結果、正しい情報が独裁者のもとに上がらなくなり、香港情勢に対する判断を見誤ってしまった可能性は十分に想像できます。

中国側は香港問題の悪化は、外国の敵対勢力の工作（ＣＩＡの工作）のせいだとする陰謀論を繰り返し言ってきましたが、実のところ習近平自身の情報感度の悪さと、人徳のなさが招いた「習近平の大敗北」なのかもしれません。

しかし、この区議会選挙における「民主派の圧勝」は本当の意味での〝勝利〟ではなく、むしろ〝終わりの始まり〟だったのです。

〝必乱の年〟に起こった「香港の乱」と「ウイルスの乱」

中国には「逢九必乱」というジンクスがあり、末尾に９のつく年は〝必乱〟、つまり必ず乱や厄災が起きるといわれています。

たとえば１９１９年には抗日デモが暴徒化した「五四運動《ごしうんどう》」。１９４９年は多数の命が奪われた国共内戦を経ての中華人民共和国建国。１９５９年にピークに達したチベット動乱（チベット自治区での抗中独立運動）。１９６９年、珍宝島事件とも呼ばれる中ソ国境紛争の勃発。１９７９年、政治の実権を握った鄧小平がベトナムに攻め込んで事実上惨敗を喫した中越戦争。１９８９年６月４日には、いわずもがなの天安門事件。１９９９年、反共勢力として江沢民政権から邪教認定された法輪功の弾圧。２００９年には、大規模なウイグル弾圧事件として世界に衝撃を与えたウイグル騒乱が起きています。

デモ行進する学生（五四運動）

そして、２０１９年。逃亡犯条例改正に端を発する香港デモともうひとつ世界的な大事件となったのが、新型コロナウイルスです。

新型コロナはこの年の12月に密かに武漢で蔓延《まんえん》していました。

まさに２０１９年は「香港の乱」と「ウイルスの乱」の年だったのです。

しかし、「ウイルスの乱」は世界の注目を「香港の乱」から奪い、香港問題への関心を薄れさせていきました。世界中の政府と国民が新型コロナとの戦いに追われ、香港への関心を保てなくなってしまったのです。また、結果的にはウイルスの蔓延によって、香港の激しいデモも抑え込まれてしまいました。

この「ウイルスの乱」のどさくさに紛れて、習近平政権は香港を完全に〝殺し〟にかかります。

その第一歩が、不意打ちのようなプロセスを経て2020年5月に可決し、6月30日深夜から施行された香港国家安全維持法（国安法）です。

この法律によって、中国は、香港でのデモや政治運動を制限できるようになり、中国のやり方に抵抗感をもったり不信感をもったりする人間を「国家政権転覆」関与などを理由に逮捕・起訴することができるようになりました。

これにより、世界でもっとも平和的に大規模デモを行ってきた香港のデモ文化は封殺されるようになったわけです。香港の一国二制度の変質を決定的にした出来事だといえます。

そもそも、中国は1997年の香港返還の際、中英共同声明によって一国二制度を今後50年（2047年まで）継続することを国際社会に約束していました。なので、この香港国安法について世界中の多くの国々は、一国二制度50年保証の国際的な約束に違反していると非難しました。特に当時アメリカのトランプ政権は、いち早く林鄭月娥長官ら香港・中国の関係官僚に対する制裁（米国内の資産凍結、米国人との取引禁止）を実施しています。

香港市民はこうした国際社会の反応を心の支えに、２０２０年に予定されていた立法会選挙での民主派による過半数議席獲得を目指していました。立法会の過半数を奪えば、予算案などを人質にとって、政府に譲歩を迫れると考えたからです。

当時の立法会は、定数70のうち直接選挙枠が35議席、職能枠といわれる業界別組織からの候補が業界別投票人に選出される議席が35議席。そして、その職能枠のうち5議席が区議枠となっていました。

２０１９年秋の区議選挙では中国や香港当局の予想を裏切って民主派が圧勝。また職能枠でも、医療業界には中国の新型コロナウイルス隠蔽に対する不満が広がり、民主派候補が勝利する公算が大きい状況にありました。つまり、民主派が票の食い合いさえうまく回避すれば、立法会過半数議席を取ることは不可能ではなかったわけです。

この勝利を目指し、２０２０年7月、民主派は勝てる候補を絞り込むために自主的な予備選挙を行いました。予備選挙に参加した市民は61万人。登録有権者の13％を超える人数です。

こうした動きに焦った中国当局が、選挙制度自体を親中派有利に「改正」して、立法会選挙の民主派勝利を阻止しようとした――というのが、本章の冒頭で紹介した「二度目の返還」と呼ばれる全人代決定の背景です。

中国当局の傀儡である香港当局は、まず２０２１年１月に、この予備選挙を計画・実施した著名民主派のメンバーや現役区議を含む55人を香港国安法違反で一斉逮捕しました。そして、このうち47人を全人代直前に一斉起訴し、一斉公判を実施します。

議会の過半数を奪おうとしたことがすなわち「政権転覆」への関与にあたる、という信じられないロジックでの起訴でした。

なお、この公判では１日目が14時間、２日目が10時間という拷問にも等しい長時間尋問を行い、被告の１人が昏倒するという事態にもなりました。

香港はこれからウイグルと同じ道を歩むのか？

全人代常務委員会副委員長の王晨《おうしん》は、今回の香港選挙制度の「改正」により「愛国者による香港統治」を徹底できる、と説明しています。そして、その「愛国者による香港統治」が、「一国二制度、香港人による香港統治、高度の自治方針の長く安定的な維持につながる」とも謳っていました。

2020年の立法会選挙は2021年9月に延期されましたが、選挙委員会の選出を先に行うことが決まったので、新たな選挙委員を選出する12月以降に再延期される可能性が高そうです。この流れのままいけば、2022年の行政長官選挙でも、中国により忠実な人材が選ばれるかたちになります。

今回の全人代の決定のあと、林鄭月娥長官は「政治体制は中央政府の管轄であり、選挙制度はその重要な構成部分である」として、「全人代の決定は完全に合法であり合憲である」と歓迎の意を示しました。

一方、香港民主党（民主派の最大政党）の羅健熙（ロー・キン・ヘイ）主席は「北京のこの決定によって立法会の代表性はさらに失われ、民意の支持もさらに失われた」とイギリスの公共放送BBCでコメントし、こう懸念を表明しています。

「多くの香港市民は体制に失望し、ますます議会が自分と無関係だと思い、（これまで選挙行動やデモで表明していた民意が強権で押し込められることで）恨みの不満はむしろ蓄積して、いつか大爆発が起きるのではないか」

この全人代決定は、事実上、香港立法会の人代化（人民代表化）です。

そして、今後起こり得るのが、香港の新疆《しんきょう》ウイグル自治区化です。

中共の指導に異なる意見をもち、自らのアイデンティティや文化を守ろうとする人間を「国家政権転覆者」として裁き、弾圧し、香港人全体を恐怖政治と洗脳教育で、習近平を核心とする共産党中央に素直に服従して抵抗しない「愛国者」に育て上げようとするわけです。

おそらく中国からの移民も増やし、香港アイデンティティの淡化も進めることでしょう。今、ウイグル人にしているように。

中国共産党のいう「愛国」など、自分の考えをもたない〝家畜〟や〝奴隷〟になれと命じているのと同じです。

本当の「愛国」とは、自分の考えや意思をもって政治を考え、政権に誤りがあればそれを指摘し、正そうとすることだと思います。

そして、選挙とは、そういう「愛国者」の代表を議会に送り込み、政権の横暴を抑制し、民意を反映する政治を行わせる行為です。

中国共産党が口走る「愛国」ほどおぞましいものはありません。

日本人も日本政府も、そのことをもっとはっきりと認識し、言明すべきだと思います。

香港の「報道の自由」が死んだ日

本書の原稿をほぼ書き上げ、最終チェックの段階に入っていたとき、とても残念で悲しいニュースが世界を駆け巡りました。かつて「報道天国」と呼ばれた香港で、一時代を築いたメディア『蘋果《ひんか》日報』が6月24日付の紙面をもって、その26年の歴史に終止符を打ったのです。

それは香港の報道の自由の〝死〟を意味します。

香港で特派員生活のスタートを切った私としては、なんともつらく悲しい弔いの気持ちでこの原稿を書いていています。私が新聞記者として香港支局長を務めた2001年当時には、まさか香港でここまでのメディア弾圧が起きるなんて、そして、あの『蘋果日報』がこういうかたちで消えていくなんて、夢にも思いませんでした。

経営に問題があったわけではありません。不祥事を起こしたわけでもありません。『蘋果日報』はまぎれもなく、香港市民から最も愛され続けた新聞でした。しかし、中国共産党による資産凍結によって、運営が続けられなくなったのです。

香港は、2020年6月の香港国安法施行で法治が死に、2021年3月の全人代で香港選挙制度が一方的に「改正」されて民主化への希望が死に、そして2021年6月の『蘋果日報』の停刊によって報道の自由が死にました。

香港にとどめを刺したのは、この『蘋果日報』の死に象徴される〝報道の自由の死〟だと思います。報道の自由の死は、すなわち〝言論の自由の死〟であり、失われた法治や民主を取り戻すために声を上げ続ける手段を失ったことと同意です。

ここで『蘋果日報』をよく知らないという人のために、なぜそれが香港にとって〝特別〟だったのかを説明しておきます。

創業者は黎智英（ジミー・ライ）という実業家です。

1948年、広東省に生まれた彼は、12歳のとき、単身で香港に密航し、当初は不法移民の不安定な身分で肉体労働に従事しました。そして、コツコツと労働でためたお金を株で増やして起業し、「ジョルダーノ」というアパレルブランドを立ち上げます。

黎智英の知名度が一気に上がったのは、1989年の天安門事件のときです。

黎智英

当時彼は反共の立場を明確にして、共産党を批判する怒りのメッセージをプリントしたTシャツを販売しました。すると、それがたちまち香港市民の支持を集めて大ヒットします。

このときに稼いだ資金をもとに、黎智英はメディア界に進出し、1990年に今のネクスト・デジタル（『蘋果日報』を発行する香港の大手メディアグループ）の前身となる「壹伝媒」を創業しました。そして、まだ香港が中国に返還される前の1995年6月20日、『蘋果日報』を創刊したのです。

『蘋果日報』の「蘋果」とは「リンゴ」のことで、英語では「アップル・デイリー（Apple Daily）」、日本では「リンゴ日報」と呼ばれて親しまれました。黎智英によれば「アダムとイブがリンゴを食べなければ、世界に善悪の区別はなく、ニュースも存在しなかった」との意味が込められているそうです。

『蘋果日報』は創刊とともに、それまでの新聞のイメージを大きく変えました。カラーページや写真を多用し、娯楽、芸能記事を充実させた大衆紙のスタイルを確立。瞬く間に香港紙売上げ2位の座につき、香港返還前後には毎日の平均発行部数が40万部を超えるまでになりました。

『蘋果日報』はゴシップ満載のいわゆるイエローペーパーであり、日本でいうところの東スポ的立ち位置です。プライバシーを暴きたてるような過剰な取材も、煽情的なゴシップ記事も多く、下品な新聞として一段低くみられてきた時代も長くありました。しかし、一貫して反共の立場にあり、権威の顔色をうかがうようなことは一切ありませんでした。

もっとも「報道の自由」を体現してきた新聞だったのです。

特に習近平政権になって香港のメディア弾圧が激しくなり、香港の伝統あるメディアが軒並み中国政府に忖度《そんたく》するような記事しか載せなくなるなか、真っ向から中国共産党批判の論評を載せていました。習近平政権による香港メディアへの弾圧が本格化して以降、『蘋果日報』ほど果敢であった新聞を私は他に知りません。

私が香港の取材現場で一番出会うことが多かったのは『蘋果日報』の記者でした。困ったときに手を差し伸べてくれたのも『蘋果日報』の記者が多かった気がします。香港を代表するジャーナリストの李怡はじめ、私の尊敬するジャーナリストやコラムニストたちの連載もたくさんありました。

2014年の雨傘運動のときには、有力紙の『サウスチャイナ・モーニング・ポスト』も『明報』も中国当局に過剰に忖度して、香港の経済や観光、市民生活に悪影響を及ぼす懸念をまっさきに報じていました。それに対して『蘋果日報』だけが、公道を占拠する若者たちの思いを代弁して報じていたのです。当時、黎智英の自宅には、自動車が突っ込んで門を破壊し、斧や脅迫状を残していくなどの強烈な嫌がらせを受けていたといいます。しかし、黎智英は、香港の若者たちを支持する姿勢を一切変えませんでした。

2019年の反送中デモの報道も素晴らしいものがありました。

主要紙がデモ参加者を「暴徒」と非難して報道するなか、『蘋果日報』はデモ参加者の主張を正確に伝える紙面づくりに徹していたのです。すっかり新聞を信じなくなり、セルフメディアや新興ネットメディアにしか興味を持たなくなっていた香港市民も、『蘋果日報』だけは買っていました。

香港中文大学メディア民意調査センターの調べでは2013年以降、香港市民からの信頼度を上げた新聞は『蘋果日報』だけです。2019年時点で、『蘋果日報』の信頼度は、『明報』に匹敵していました。香港の東スポ扱いであった『蘋果日報』が、香港の朝日新聞的ポジションにある『明報』と肩を並べるほどの信頼を、雨傘運動などの報道を通じて読者から獲得していったというわけです。

ゴシップ、イエロージャーナリズム、大いにけっこう。それは権威と相対する大衆の視線に身を置き、大衆の「知りたい」という欲望に忠実であるということです。ある意味、〝ジャーナリズムの本質〟ではないでしょうか。

このように、香港の報道の自由の精神をもっとも体現していた『蘋果日報』が習近平政権によって潰されたわけです。

実のところ、黎智英が2020年2月、8月、12月と三度逮捕され、2021年5月までに違法集会組織、違法デモ参加の罪で累計20カ月の禁固刑判決を受けたあたりから、その危機は避けられぬものとの予感が強まっていました。

蘋果日報本社とネクスト・デジタル本部は2020年8月と2021年6月の二度にわたり、香港警察のガサ入れを受けています。

2021年6月17日のガサ入れは、1回目よりも厳しいものでした。動員された警官は500人。取材資料44枚分のディスクが押収され、香港国安法違反の名目で幹部6人がそれぞれ自宅で逮捕されました。いずれも「外国勢力との結託による国家安全危害」の容疑がかけられての逮捕ですが、具体的にどのような言動がその容疑にあたるかは明らかにされていません。

なお、このガサ入れのとき、警察は記者のパソコンを勝手にあけて資料を持ちさったそうです。これに対し、香港記者協会主席の陳朗升は「非常に深刻な問題だ。報道倫理からすれば、記者はニュースソースの身元を必ず保護しなければならない」とコメントしています。『蘋果日報』の幹部らが逮捕されたことも、陳朗升によれば「明らかな原則の崩壊」だといいます。

彼らには言論の自由、報道の自由があるべきで、報道自身を理由に逮捕されることは、報道の自由の原則からいえばおかしいわけです。

また、同じく6月17日には、ネクスト・デジタルの資産2３０万ドルも凍結されました。前月の5月14日には、ネクスト・デジタルの株71％を含む黎智英の個人資産も、香港国安法違反で凍結されています。これを受けて、台湾で発行されていた『蘋果日報』の紙版も停刊になりました。

この2回にわたる資産凍結が、『蘋果日報』とネクスト・デジタルの運営にとどめを刺したわけです。黎智英も、現場の記者たちも闘志を持ち続けていたし、香港市民も『蘋果日報』を応援し続けていました。しかし、運営資金が尽きたことで、『蘋果日報』は停刊せざるをえなくなりました。

国安法は、このように個人や上場企業の「財産」をいつでも奪うことができます。資本主義経済、自由主義経済で最も重要な原則のひとつ、神聖にして不可侵な財産権などの権利を平気で踏みにじることができるわけです。

中国共産党や香港政府に批判的な言動をしただけで、国安法によって香港の口座にある財産を凍結されるのだとしたら、香港に口座を持っている外国企業や個人も、香港デモを応援した場合などには、国安法違反で口座を凍結されるリスクがあることになります。そんな都市が国際金融やビジネスのハブでいられるわけがありません。

こうして言論の戦いでもなんでもない、〝兵糧攻め〟で『蘋果日報』は停刊させられ、香港の報道の自由は殺されてしまったのです。同時にそれは国際金融都市としての〝香港の死〟でもありました。

私は2002年4月、黎智英の九龍嘉道理道の自宅を訪れて彼にインタビューしたことがあります。産経新聞香港支局をたたんで北京の中国総局に異動する直前のことです。

その頃から黎智英は「戦うメディア人」として知られていました。気さくで好意的な人物でした。自著の自伝『我是黎智英』にサインをしながら、「『蘋果日報』をいつか広東で一番売れる新聞にするのだ」と夢を語ってくれたことを今でもはっきりと覚えています。

実際、当時大陸（中国本土）から香港を訪れた中国人客は、喜んで『蘋果日報』を買って帰ったものでした。多くの中国人が〝自由奔放〟な香港の報道に憧れていました。もし『蘋果日報』

が広州の新聞スタンドに並んでいたら、黎智英の言う通り、間違いなく売上げ1位になっていたでしょう。

黎智英は、香港の自由を共産党の魔の手から守ろうという強い意思の持ち主であり、インタビュー時には「自分は徹底したアンチ共産党だ」とも語っていました。それでも中国の広東省でいつか『蘋果日報』を売りたいという夢を持っていたのは、祖国中国への愛着があったからでしょう。彼は「中国は変わる」とも言っていました。

確かに、当時は私も、いずれ中国が国際社会の普遍的価値観を共有する日がきて、報道の自由は香港から広東省へ、そして北京へと広がっていくのだという期待をもっていました。ちょうど2008年の北京夏季五輪の招致が決まり、中国経済が2桁《けた》成長時代に突入していた時期です。

中国人たちは資本主義の〝果実〟のうまみに目覚めていました。

中国共産党も「株式会社共産党」と呼ばれるほど経済重視となり、香港を西側資本経済と中国をつなぐ窓口として大切にしていました。

広東省の人たちは週末ごとに香港に遊びに行き、香港の自由な空気を吸っていました。

これで中国が五輪を経験し、多くの市民が多様な国際的価値観に触れることになれば、中国の政治体制も徐々に変わっていくだろう――そんな期待が、確かに当時の国際社会には芽生えていたのです。

しかし、そうした期待や希望も、その後誕生した習近平政権によってあっさりと消し去られてしまいました。

今、収監中の黎智英はあのときの夢をどんな思いで振り返っているのでしょうか。

彼の胸中を思うと、切なくて泣けてきます。

『蘋果日報』の最後の紙面のトップの見出しは、「香港人は雨の中、つらい別れを告げた。私たちはリンゴを応援し続ける」でした。発行部数は通常の10倍の100万部。人口わずか750万人の香港で100万部の新聞が数時間のうちに売り切れました。

私の友人たちは夜明け前から雨の中、新聞スタンドの前に並び、最後の『蘋果日報』の搬入を出迎え、まだインクの湿り気が感じられる新聞を購入し、胸に抱いて持ち帰ったそうです。そして、1部を私のために買ってくれて、その日のうちに送ってくれました。

大勢の市民が、私の友人たちと同じような行動をとったといいます。蘋果日報本社の前には自然と人が集まり、別れを告げるようにスマートフォンのＬＥＤライトを灯しました。

リンゴは踏み潰されても〝種〟は生きています。今しばらくは地中深く潜って国安法の劫火《ごうか》に耐えた後、少し雨が降ったら、また芽吹く日も来るはずです。

私の手元にある香港の友人が送ってくれた、２０２１年６月24日付けの『蘋果日報』はそれまで大事にとっておきます。

再刊の日に、笑って読み返せる日が来ると信じて。

2021年6月24日付けの『蘋果日報』を手にする学生

蘋果日報本社前でスマートフォンのＬＥＤライトをつける人々

それに応えて光を照らす蘋果日報本社
（いずれもアレックス提供）

第2章

今、ウイグルで何が起こっているのか？

ウイグル人の暮らす町は「テーマパーク」

前章の終わりに、香港が今後ウイグル化していく恐れがあると述べましたが、現在その新疆ウイグル自治区はどうなっているのでしょうか。

新疆ウイグル自治区（ウルムチ、カシュガル、トルファン）周辺の地図

私が最後にウイグル自治区を取材したのは2019年5月のことで、そのときはカシュガル市とウルムチ市を訪問しました。当時の様子は拙著『ウイグル人に何が起きているのか』（PHP新書、2019年）に詳しく書いてあります。

その後は新型コロナの影響等もあって現地を取材できていないので、2021年6月現在のウイグルが実際どのような状況になっているのか、正直わからない部分もあります。

しかし、過去の取材経験を踏まえながら、海外メディアやネットメディア等の報道に触れていると、あの頃より状況が悪化していることはあっても、改善されていることはまずないだろうと思っています。

２０１９年に新疆ウイグル自治区のカシュガル市を訪れたときに私が抱いた印象をひと言であらわすなら、それは「テーマパーク」です。

旧市街の職人街、帽子職人の集まる通りには、整備された綺麗な石畳が敷かれ、こじゃれた店構えの奥でウイグル帽を被った老人が帽子づくりに専念していました。家屋はいずれも新しく建てられた様子で、ウイグル風の彫刻が施された壁面が美しい。路上はゴミひとつ落ちていなくて、とても清潔です。

閑静で美しいウイグルの職人の町――でも、どこかよそよそしい、つくり物めいた空気がそこには広がっていました。中国の典型的な観光地、たとえば世界遺産に指定されている山西省の古都・平遥《へいよう》や、北京の古い街並みを留めている胡同《こどう》などに通じるものがあります。

そこには、観光客向けの土産物店と並んで〝理想のウイグル庶民の暮らしぶり〟が展示されているのです。

中国山西省平遥

ウルムチ市のバス停で仕事依頼を募集する四川省から出かせぎにきている漢族たち

カシュガルの職人街の金物屋。まるでつくり物の展示のようだった

エティガールモスク前広場は遊園地化されていた（いずれも著者撮影）

監視の目が光る「美しいウイグルの町」

カシュガルで出会ったウイグル人たちは本当にみんな親切で正直でした。

私が1元札を落としたときには、そのお金を拾って「落ちたよ」と身振りで伝えて渡してくれました。その一件が気になって、それからわざと何度かお金を落としてみたのですが、みんな私を追いかけて届けてくれました。店でお釣りを受け取らずに出たときも、わざわざ追いかけてきてお釣りを渡してくれました。

先ほども言った通り、町にはゴミひとつ落ちていないですから、誰もポイ捨てなんてしません。スリや置き引きにそれほど注意を払う必要もありませんでした。

外国人や漢族の観光客がこの地に来たなら、清く正しく共産党に忠実な「善良なウイグル人」が暮らす「完璧なウイグルの町」を観光できることでしょう。

カシュガルのバサールのなかも監視カメラだらけ

カシュガルの整備された旧市街。ゴミひとつ落ちておらず生活感もない
（いずれも著者撮影）

その〝表面〟だけを見ていると、中国共産党のプロパガンダ通りに「ウイグルに人権問題なんて存在しない」と信じ込んでしまうかもしれません。

しかし、よく街中を観察してみると、相対的に若い男性が少ないことに気づきます。また、観光客に接する女性の表情は妙に硬かった印象を受けました。老人たちにも笑

監視カメラだらけのカシュガル市（著者撮影）

最近は社区や住宅区に入るのも顔認証を使う（ウルムチにて・著者撮影）

顔が見られません。

さらに気になるのは、異常な数の監視カメラと、東京の繁華街のコンビニよりも頻繁に見かける「便民警務ステーション」という交番、そして、街中でやたらと見かける警官の存在です。

それらが市民に対して「いつでもお前たちを見張っているぞ」という無言の圧力をかけていました。

テーマパーク的な「美しいウイグルの町」で暮らすウイグル人たちは、常に監視の目が光る異常な緊張感のなかで怯えながら暮らしています。

彼らにとって、そこは〝巨大な監獄〟なのです。

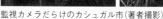

中国共産党がつくり出した「パノプティコン」

私が最初に新疆ウイグル自治区に足を踏み入れたのは、今から20年以上前の1999年、両親を連れての家族旅行でした。当時はウルムチ、トルファン、カシュガルなどを訪れ、覚えての中国語で両親を案内しました。

1999年のカシュガルはあまり中国語が通じず、漢族もほとんど見かけませんでした。ウイグル人は気さくで親切でしたが、多少小狡《こずる》いところもあり、当時はスリや置き引きにもそれなりに気をつけないといけない状況でした。それでも、2019年のときとはちがい、みんなが陽気だったことを覚えています。

何より印象的だったのは、街中に羊があふれ、町全体に羊のにおいが立ち込めていたことです。1999年のカシュガルは、どこからどう見ても「中国」ではなく、まったくの「異国」でした。しかし、2019年に再び訪れたときには、そこは完全に「中国」になっていました。中国語も普通に通じるようになり、街中は羊の代わりに警官であふれていました。

漢族も明らかに増えて、ウイグル人7に対して漢族3ほどの割合になりました。

カシュガル郊外の検問所

カシュガル旧市街の劇場では共産党スローガンを踊り子たちがたたえていた

エティガールモスクの向かい側にも共産党のスローガンが（いずれも著者撮影）

観光客はほぼ１００％が漢族です。

また、街中のいたるところに「有黒掃黒、有悪除悪、有乱治乱（「黒があれば黒を一掃し、悪があれば悪を排除し、乱があれば乱を治めるのだ）」「民族団結一家親（民族は団結して家族のように親しい）」といった中国共産党の標語の垂れ幕が貼ってありました。

街中に設置してあるスピーカーからも同じようなスローガンが、中国語とウイグル語で交互に大音量で流れ続け、「社会秩序を乱す悪を徹底排除しよう」と市民に繰り返し呼びかけていました。

確かに20年前に比べてカシュガルの治安は良くなりました。おそらく新疆全体で見ても治安そのものは良くなっているのでしょう。

しかし、それはやはり新疆全体が〝巨大な監獄〟だからです。

この世で最も治安の良い場所は、監視体制がしっかりとした監獄です。監獄のなかだから、そう簡単に犯罪が起きないのです。

カシュガル・ウパール郷バスターミナル近くの食堂には五星紅旗とスローガンで真っ赤だった（著者撮影）

でも、普通の監獄なら、刑期を終えればいつかは外に出られます。

しかし、ウイグル人たちが暮らすこの〝新疆監獄〟は、現在の中国共産党支配が続く限り簡単には出られません。在日ウイグル人のようにたとえ海外に脱出できたとしても、大切な家族や親戚を人質にとられ、常に精神は〝拘束〟され続けているのです。

私は新疆のこの悲惨な状況に、「パノプティコン」という言葉を思い出します。

パノプティコンとは、イギリスの哲学者ジェレミ・ベンサムが設計した「全展望監視の監獄」のことです。

ベンサムは「最大多数の最大幸福」を唱えたことで知られる功利主義者で、「社会を不幸にする犯罪者を常に監視下に置き、生産的労働習慣を身につけさせて、自力更生力をつけさせるよう教育・改造するシステム」の監獄としてパノプティコンを考案しました。これは当時のイギリスの監獄が非人道的な環境だったので、犯罪者の更生と幸福の底上げが社会全体の幸福につながるという発想から生まれたものです。

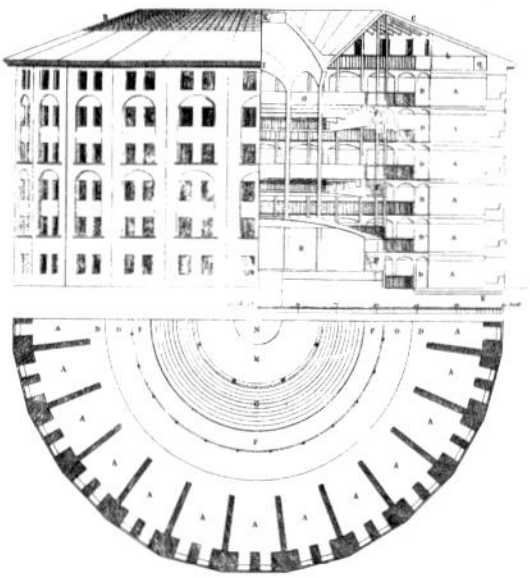
パノプティコン、ベンサムによる構想図

パノプティコンの構造は、真ん中の監視塔を囲むように円形・放射状に収容個室が配置され、少数の看守がすべての収容房を見渡せるようになっています。

ポイントは、少ない看守で大勢の収監者を監視できる効率性です。建物の構造上、監獄に外側から光が入ることで、監視塔の監視員の姿は逆光で見えません。

つまり、囚人同士はお互いが見えず、また個々の囚人からは看守の姿も見えないようにしているのです。

囚人たちは、看守に監視されていることを常に意識しながらも、自分からは看守の姿が見えないので、自発的に規律を守る従順な行動を取るようになります。そうなると当然、看守からすれば、非常に監視・監督しやすくなります。このような環境下で、囚人には職業の自由が与えられ、労働を通して更正の機会が与えられます。

まさに〝運営の経済性〟と〝囚人の福祉〟を備えた「理想の監獄」というわけです。

このパノプティコンは、20世紀のフランスの哲学者ミシェル・フーコーが『監獄の誕生――監視と処罰』（田村俶訳、新潮社）のなかで紹介し、管理統制社会の比喩として使われるようになりました。

〝見えないが確実に存在する権力の監視〟によって、人々は規律化され、従順になる。権力者は少ないエネルギーで大勢の人間を監視・監督しやすくなる。すなわち、権力者は、人々を身体的に拘束しなくても、精神的に拘束することで、彼らを従順にすることができる、というわけです。

新疆ウイグル自治区はまさに中国共産党が現代に誕生させた「パノプティコン」だといえます。

ベンサムの考えたパノプティコンは建築構造によって、少数権力者による多数の囚人の監視と、その規律化・従順化の手法を得ました。対して、今日の中国共産党は、ＩＴやＡＩなどの最新技術、あるいはビッグデータなどを駆使して、それと同じような監視システムを実現しています。

今はまだ中国版パノプティコンはシステムの初期段階であり、国際社会がはっきりと認識できる〝暴力的な手法〟も使っているので、比較的非難・批判しやすい状況です。

しかし、今後さらなる技術の進歩でこの監視システムが発展すれば、国際社会から見えるような暴力的手法は必要なくなり、ウイグル人ら〝被監視者〟は自ら権力の望むように、規範的で従順に行動するように〝調教〟されていくことでしょう。

それは身体の拘束よりももっと残酷で苦しい精神の拘束なのですが、外から見れば彼らは〝平和〟と〝自由〟を享受しているように見えるのです。

もはやそこがつくり物の「テーマパーク」であることに、誰も気づけなくなる日が来るかもしれません。

「監視社会の〝恩恵〟を見よ」と言う日本人

中国の監視システムに怯えているのは、何もウイグル人に限った話ではありません。中国内で暮らしている一般の中国人たちも同様なのです。

たとえば2021年4月、広東省仏山の高速道路の分岐点にある交通違反車両向け監視システムにより、これまでに62万人以上の運転手から罰金1億2000万元以上が徴収された、というSNS投稿がCCTVも取り上げるほど炎上しました。職業ドライバーたちは、この監視システムが一種のトラップであり、地方政府の「紙幣印刷機」だと不満を訴えました。これについては仏山市交通公安当局は事実ではないとしていますが。

ようするに、中国の地方政府が少しでも自分たちの収入を増やすために、監視カメラを利用して、なりふりかまわず罰金を取り立てているのです。

交通違反だけではありません。たとえば工場内で、従業員が職務ルールを違反して、休憩時間外に休憩したり、たばこを吸ったりしても、監視カメラでとらえられて、罰金が科されます。

また、中国の病院の一番多い収入源は、病気を治す治療費の収入ではなく、院内ルールを違反した看護師や患者から巻き上げる罰金なのだとか……。

問題なのは、ルールをつくり、監視を強化することが、その集団の秩序をより良くする目的ではなく、ルール違反者から罰金を取り立てるためになっていることです。必要のないルール、わかりにくいルールをたくさんつくり、より庶民をがんじがらめにしていくというのが中国共産党のやり方なのでしょう。

日本でこの手の話をすると必ず一定数存在するのが、「中国は監視社会というけれど、そのおかげで犯罪が減っているじゃないか」と中国の監視システムを評価する意見です。こうした意見の持ち主は、親中派だけでなく、保守派の人のなかにもいます。「中国の監視社会・統制社会を批判するだけでなく、その恩恵をみよ。おかげでコロナもいち早く収束したのだ」と彼らは言います。

しかし、その監視システムは、犯罪を防ぐだけでなく、何もしていない人を犯罪未遂で捕まえるのにも悪用されているのです。

まったくルールを破ろうと思っていない善良な市民も、わかりに

ウルムチでは交通違反者の顔を晒して社会制裁を行う（著者撮影）

くいルールのせいで知らないうちに「違反者」にされ、罰金を徴収されたり、捕まえられたりしています。

何も罪を犯していない善良なウイグル人が、普段と違う通勤ルートを通っていたことが監視カメラに映っていただけで、呼び出され、聴取され、過激派の予備軍だといわれて、強制収容施設に入れられて「再教育」されるのと、根本的には同じロジックです。

中国共産党がつくる法律・ルール・監視システムはすべて、〝社会をより良くするため、公平にするため〟のものではなく、〝権力者が人々をより支配しやすくするため〟のものだといえるでしょう。

10人に1人以上が「強制収容所」に！

こうしてウイグル人の置かれている状況が悪くなる一方で、近年、世界中の人々がウイグルの人権問題に関して高い関心をもつようになり、習近平政権に対して厳しい目を向けるようになっています。

マイク・ポンペオ

特に中国政府が「テロ対策」を名目に新疆ウイグル自治区で強制収容・強制労働・強制不妊などの激しい人権弾圧をしている疑惑は国際社会の知るところとなり、2021年1月にはアメリカのポンペオ国務長官（当時）から「ジェノサイド（民族大量虐殺）」認定されました。

また、アメリカ議会の超党派組織「中国問題に関する米連邦議会・行政府委員会（CECC）」は2020年12月の報告書で、累計180万人のウイグル人が強制収容された可能性があることを指摘しています。新疆に暮らすウイグル人は約1100万人なので、この報告書の数字が正しいなら、なんと10人に1人以上の割合で、中国当局に身体の自由を奪われているウイグル人がいるということになります。

近年、そのウイグル人の〝強制収容所〟として特に問題視されているのが「職業技能教育訓練センター」です。

同センターでは、ウイグル語ではなく中国語を強制し、テロ対策や「教育・職業訓練」を名目にウイグル人らを長期間収容するなど、ウイグル人の人権侵害の一大拠点になっているとして欧米から批判されています。

2018年8月にスイスのジュネーブで開かれた国連人種差別撤廃委員会では、少なくとも100万人、最大で200万人規模のムスリムが中国で強制収容施設に入れられて「再教育」を受けている、と報告されました。

一方、中国の代表団はこの報告を「完全な捏造《ねつぞう》」だと反駁《はんばく》しています。

そして、「職業訓練所はたしかに存在するが、強制収容所ではない」「100万人も収容されていない」「ウイグル人を含む新疆の市民は平等な自由と権利を享受している」としたうえで、「ただ宗教過激派分子に騙された人たちが一部いるから、彼らの社会復帰を支援しているのだ」と悪びれることなく主張していました。

中国側が、新疆の問題について、公の場でここまで反駁するのは珍しいことであり、このニュースは国際社会の注目を集めました。

中国側の言い分に対し、国連人種差別撤廃委員会は、同年8月30日の最終会合で「中国の法律におけるテロリズムの定義はあまりに広く、過激主義のあいまいな引用と分裂主義の定義も不明確」と批判し、目下勾留中のウイグル人の即刻釈放や、勾留人数や勾留理由の提示などを中国政府に求める総括を行いました。

なお、現在中国はウイグル人らを対象にした「再教育」や「職業訓練」が2019年10月に終了したと説明していますがその証拠はまだ示されていませんし、新疆内での徹底した住民監視は今も続いています。

ウイグル人による習近平〝暗殺〟未遂事件？

そもそも、問題となっているウイグル人の強制収容所、中国がいうところの「再教育施設」は、どういった経緯でできたのでしょうか。

前述の通り、正式には「職業技能教育研修センター」と呼ばれるこの施設（新疆の地元メディアでは「脱過激化研修班」や「教育転化研修センター」とも呼ばれている）は、習近平政権が誕生して2年後の2014年に正式に政策として導入されました。

きっかけは、同年4月30日に新疆ウイグル自治区の主要鉄道駅、ウルムチ駅（現在はウルムチ南駅）で起きた〝爆破テロ事件〟だといわれています。

この事件は、習近平が国家主席となって初めて新疆ウイグル自治区を視察し、その最終日に現場のウルムチ駅近くを訪れた直後に発生しました。

習近平一行になんら被害はなかったのですが、駅の待合室に居合わせた乗客らが巻き込まれ、1人が死亡、約80人が負傷しています。

犯人はウイグル人の「過激派テロリスト」だとされ、新華社（中国の国営通信社）によれば、刃物を振り回す集団が駅の出入り口で次々と人を襲ったあと、体に巻き付けた爆弾を爆発させたらしく、犯人2人は即死だったそうです。

爆発で破損したウルムチ駅南西のビルの看板

この事件には非常に謎が多く、実のところ正確なことはあまりわかっていません。現場には銃撃戦の痕跡があったという話もあります。

党内筋によれば、この事件について習近平は、自分を狙った〝暗殺未遂〟だと考え、恐れおののいたそうです。

習近平の新疆ウイグルの初視察の目的は、解放軍の対テロ部隊の演習視察や激励などでした。

この習近平の視察に合わせて、ウイグル独立派が犯行を計画したとすれば、解放軍や要人警護にあたる中央警衛局、あるは公安警察の上層部に習近平の移動日程やルートをテロリストに漏らした者がいるのではないか――当時はそんな噂話がまことしやかにささやかれていました。

具体的には、習近平が失脚させた公安警察のトップで、元政治局常務委員（中央政法委員会書記）の周永康の公安警察内の残党か、あるいは同じく習近平が失脚させた解放軍の長老・徐《じょ》才厚《さいこう》の軍内残党がウイグル独立派に情報を流し、暗殺行動を唆《そそのか》した、という噂がネット上に流れていたのです。

もっとも、実行犯がウイグル人であったことは事実だったらしく、習近平はこの体験で、ウイグル人への強い恐怖と憎しみを植え付けられたといわれています。

そして、「ウイグル人に対しては徹底的な〝思想教育〟が必要だ」と考えるようになり、「イスラム教の中国化」「ウイグル人の思想再教育」の推進を強く訴えるようになったそうです。

新たな「強制収容所」を求めた治安維持当局

折しもこの時期、中国で昔から思想教育施設として機能していた〝労働教養所〟が憲法違反であるとして2013年11月に廃止されたばかりでした。

労働教養所は、社会秩序を乱す人民に対し「労働を通じて思想教育する」という目的で3年（改善が見られない場合はさらに1年延長）を限度に強制収容するための施設です。逮捕の手続きや裁判などは不要で、単に当局が気に入らない、という理由だけで収容が可能でした。

また、労働教養所では、収容された人々が無報酬できついノルマの強制労働に長時間従事させられ、拷問や虐待も日常的に行われていたため、「監獄より劣悪な人権侵害施設」として知られていました。2013年当時の公式発表では、全国に350カ所以上、16万人が収容されていたそうです。

労働教養所は、浦志強ら一部の人権派弁護士や、中国の写真雑誌『Lens』などメディア関係者がこの施設の違憲性や虐待の凄まじさを告発し続けた結果、廃止になりました。ただし、浦志強はのちに別件で身柄拘束されて弁護士資格を剥奪《はくだつ》され、『Lens』は廃刊処分になるなど、告発者側も大きな〝代価〟を支払っています。

とにかく、この労働教養所がなくなったことで、中国では〝社会不穏分子〟を手当たり次第、自由に収容できる〝施設〟がなくなりました。するとまもなくその代替施設を求める声が治安維持当局側から出てくるようになります。

こうした背景があったなかで、２０１４年のウルムチ駅爆破事件が起こり、労働教養所に代わって再教育施設「職業技能教育研修センター」が誕生しました。そのため、再教育施設は労働教養所廃止による〝奴隷〟不足を補うためにつくられたという見方もあります。

新疆ウイグル自治区ウルムチの監視カメラ

ちなみに、２０１９年11月に米国紙『ニューヨーク・タイムズ』が中国政府の内部リークとして報じた「Xinjiang Papers（新疆文書）」によると、習近平はウルムチ南駅爆発事件後、当局者に向けた秘密演説を行い、ウイグル人の取り締まりについて「情け容赦《ようしゃ》は無用だ」と指示していたそうです。

党関係者から一般庶民に広がった「再教育」

中国当局はウイグルの再教育施設に関して「あくまでも〝過激派宗教〟に染まった人々が〝正しい中国人の道〟に戻るように教育し、社会復帰を支援するための施設だ」と説明しています。

しかし、実はそこがナチスの強制収容所に勝るとも劣らない過酷で絶望的な監獄であることが、2018年頃から海外在住のウイグル人記者や人権団体の調査・告発で明らかになってきています。

繰り返しますが、中国のウイグル人口1100万人のうち、少なくとも延べ100万人以上がこの収容所に収容され、「再教育」という名のもとに虐待や洗脳、拷問、性暴力などを受けているというのです。

収容されているウイグル人たちはムスリムではありますが、決して原理主義者（中国がいうところの「過激派宗教」）ではありません。どちらかというと異文化や異教徒に対しては寛容な人たちです。だから海外でビジネスをしたり海外留学したりするのです。

職業技能教育研修センターができた当初、「再教育」のターゲットにされたのは、ウイグル

陳全国

人のなかでも共産党員・公務員ら中国共産党の体制側に属する人々や、中国共産党指導下のイスラム教組織の幹部といった人々でした。

共産党の規約では党員が信仰をもつことを禁止していましたが、実際のところ、ウイグル人の党員や公務員がイスラム教徒であるケースは珍しくありません。

まず2014年7月、新疆の党委員会統一戦線部・組織部から地域の共産党員・共青団員・公務員に対して、イスラム教の信仰禁止、ラマダンへの参加禁止、モスクでの礼拝禁止の徹底が通達されました。

これを受けて、当時の新疆各地では、「アホン」と呼ばれるムスリムの宗教指導者が祭祀《さいし》の途中で突然連行されるなどの事件が発生するようになりました。彼らは再教育施設に入れられて、自分たちの行いが党規約や法律に違反しているなどと自己批判させられていたことが、中国共産党中央党校の学術リポートのなかで〝成果〟として記されています。

このように最初はウイグル人のなかでも共産党に関係する人々が「再教育」のターゲットにされていたのですが、その矛先がウイグルの一般庶民に向かうのに、それほど時間はかかりませんでした。

特に2016年8月29日、新疆ウイグル自治区の書記に「酷吏（悪代官）」として知られる陳全国が就任して以降、「再教育」は苛烈《かれつ》を極めるものになっていきます。

習近平が高く評価した、陳全国のチベット仏教弾圧の〝功績〟

陳全国は「習近平の三大酷吏」の筆頭といわれています。「三大」といっても、陳全国の苛烈さは他の2人が裸足《はだし》で逃げ出すといわれているほど圧倒的であり、泣いている子に「陳全国が来るよ」と言えば泣き止む、というジョークがあるくらいです。

陳全国は習近平の強い推挙で新疆ウイグル自治区の書記に就任しました。

習近平がそこまで陳全国を気に入っていた理由は、それ以前に彼が務めていたチベット自治区の書記時代の〝功績〟があったからです。

陳全国がチベット自治区書記だった2011年8月から2016年8月までの期間、チベットは数字上、目覚ましい経済発展を遂げています。２０１２年のＧＤＰ成長率は前年比11・8％、２０１３年は12・1％、２０１４年は12％、２０１５年は11％と4年連続2桁成長を実現しました。特に２０１５年は中国で全国的に景気の落ち込みが激しかった年なのですが、なんとチベットのＧＤＰ成長率は全国1位を記録しています。

さらに、チベットの「治安」も陳全国が書記になったことで安定したと評価されました。陳全国がチベットでやったことをひと言でいうなら「チベット仏教の中国化」です。

陳全国は、チベット仏教に対する徹底的な管理体制を導入しました。

大量の共産党員を寺院や村々に派遣して内部からの統制・監視を強化するシステムをつくったほか、寺院に対しては〝九有政策〟と呼ばれる9つの物を常備するよう義務付けています。その9つの物とは、指導者の肖像、国旗、道路、水道、電気、通信設備、テレビ・ラジオ、新聞、書店です。

九有政策の目的は、チベット寺院の生活を便利で豊かにすることで、チベット仏教の厳しい修行を世俗化させ、共産党が宗教をコントロールしやすくすることにあったとされています。

また、陳全国は、敬虔《けいけん》なチベット仏教聖職者に「再教育」と称して、異性関係を強要したり、ダライ・ラマ14世を批判させたり、寺院でマルクス・レーニン主義の学習を義務化したりもしました。

これに絶望したチベット僧侶や尼僧、信者たちは次々と抗議の焼身自殺を図るようになり、国際社会に衝撃を与えました。

チベット仏教の僧侶、尼僧、信者らの焼身自殺は、2008年3月のラサの騒乱に対する中国当局の武力鎮圧事件以降の10年間で150人を超えていますが、陳全国の恐怖政治が彼らをいっそう追い詰めたといわれています。

ダライ・ラマ14世

こうした陳全国の〝手腕〟を習近平は高く評価し、2014年のウルムチ駅での「暗殺未遂事件」以降、彼が最も恐れるようになった、新疆ウイグル自治区の〝不穏分子〟を殲滅《せんめつ》することを陳全国に期待したというわけです。

その結果、陳全国は2016年8月に新疆ウイグル自治区の書記に抜擢され、2017年秋の第19回党大会では政治局委員入りするという急出世を遂げました。

ハイテクとアナログを駆使した恐怖の監視社会

新疆ウイグル自治区の書記に就任した陳全国がまず取り組んだのは、〝監視社会〟の徹底です。監視システムのハイテク化が進められ、ＡＩ顔認識監視カメラがいたるところに配備されました。中国国内には２０１９年時点で監視カメラが約２億台設置されており、２０２２年には6億台に到達するという予測もあります。新疆はその監視システムの最先端技術を試行するための〝実験場〟にされたというわけです。

また、陳全国は、スマートフォンに追尾機能がついた監視アプリのダウンロードをウイグル人に強制しました。監視アプリをインストールすると微信《ウィーチャット》（中国の大手ＩＴ企業テンセントが開発した無料メッセンジャーアプリ）や微博《ウェイボー》（中国最大のＳＮＳ）のログ、ＳＩＭカードの情報、Ｗｉ－Ｆｉのログイン情報などが自動的に公安当局のサーバーに転送されるといわれています。これにより、通話記録や交友関係、ＳＮＳでの私的な発言なども当局に筒抜けです。

中国内のすべてのウイグル人が24時間監視され、微信や微博などで海外にいる家族・親戚・友人と自由に連絡することもできなくなりました。街中を歩いていると警官からスマートフォンの提示を求められ、その場でインストールを強制されます。地元メディアによると、監視アプリのインストールを拒否したり、アプリを削除したりすると10日間拘束される可能性があるとのことです。

さらに、陳全国は、12歳から65歳のウイグル人に対してＤＮＡや虹彩、血液サンプル、指紋などの生体データを「検診」という名目で採取しました。それらの情報をスマホのＧＰＳや、ＡＩ顔認識監視カメラとリンクさせて、個人の行動・言論・人間関係をすべて網羅するような監視ネットワークを構築したのです。

これにより、ウイグル人がいつもと違う道筋で出勤したり、自宅から離れた所に行ったり、あるいはいつもと違う店で灯油や燃料類を買ったりすると、すぐ公安が尋問に訪れるようになったといいます。

その他にも、新疆地域にあるすべての自動車（工事車両や重機も含む）が中国当局が管理するＧＰＳ端末の設置を義務付けられました。端末を設置していない車両は、ガソリンスタンドで給油が拒否され、中古車市場でも取引ができません。

さて、こうして監視システムのハイテク化を進める一方、陳全国は〝人海戦術〟によるアナ

バザールの入り口でも安全検査を行う（著者撮影）

ログ的手法の監視体制も強化しています。

住民の監視に欠かせない警官が新たに3万人募集され、民間の警察協力者も２０１６～２０１７年の1年間だけでなんと9万人も採用されました。陳全国の書記就任以前に新疆でこれほど警官が増えたことはありません。

また、県・市レベルの政府庁舎所在地には便民警務ステーション（交番）も大量に設置されるようになり、たとえばウルムチ市だけでも、２０１７年10月の段階で９４９カ所の便民警務ステーションが置かれていました。私が目にしたように、かつてカシュガルにあふれていた羊が消えて警官に代わったのも、この陳全国のウイグル政策によるものだったのです。

この警察力増強の結果、２０１７年の新疆の犯罪逮捕数は22・8万人で全国第1位になりました。新疆ウイグル自治区の全人口は約２２００万人（ウイグル人以外の民族も含めた全人口）であり、中国全土の人口14・5億人の1・5％程度しかいないのに、逮捕者は中国全土の21％を占めるという〝異常〟な数字です。また、逮捕者の増加率も前年比の7・3倍と〝異常〟で

コンビニより多い便民警務ステーション（著者撮影）

あり、普通に考えて、新疆で犯罪が増えたというよりは、〝犯罪者にされた人〟が増えた、とみるべきでしょう。

さらに、陳全国は、漢族の役人が定期的にウイグル家庭にホームステイする制度を導入しました。彼らによってウイグル人は、家庭内の様子まで監視されるようになったわけです。たとえば家のなかでコーランが見つかったりすると、それだけで再教育施設送りになってしまうこともあるといわれています。これについては後述します。

もはやウイグル人であることが〝罪〟!?

陳全国はあの手この手で新疆の監視体制を強化する一方、ウイグル人の身柄を拘束できる新たな法的根拠もつくっています。

それが２０１７年４月１日に施行された「脱過激化条例」です。

この条例は、表向きは「ウイグル人たちの過激化を防ぎ、テロリズムに走らせないようにするための法律」とされています。

しかし、実際はウイグルの伝統・文化・習俗・歴史を否定する内容であり、習近平政権の進める「ウイグル人の中国化」戦略の一環に他なりません。

たとえば、条例で禁止事項として挙げられているのは、過激化思想の宣伝・散布、他人の宗教信仰の自由への干渉、他人への宗教活動への参加強制、宗教関係者への贈り物や労働の提供、他人の婚姻葬式見合いや遺産相続への干渉、文化娯楽活動に対する干渉や排斥、メディアやテレビなどの公共サービスに対する拒絶、ムスリムの習慣の一般化・拡大などです。

また、自分がベールを被ったり他人に被らせたりすること、非正常的な髭を蓄《たくわ》えること、法律手続きを経ずに宗教的方法で結婚や離婚を行うこと、子女に国民教育を受けさせないこと、国家の教育制度実施を妨害することなども、「過激化」の対象として禁じられています。

さらに、いかなる機関および個人も、過激化宣伝、伝播につながる研究、社会調査、学術論壇を禁止するとしています。

違反者に対しては、程度が比較的軽度であれば、公安機関および関係部門が責任をもって矯正し、批判教育や法治教育を与えるとしています。

違反の程度が犯罪とまではいかずとも相当に重い場合は、反テロ法や治安管理処罰法、自治区の反テロ法弁法に従い、違法所得没収などの罰則を適用するとし、他人に与えた損害については法に基づき民事責任を問うとしています。

条文には、いかにももっともらしいことが他にもいろいろと書かれていますが、ようするに、ウイグル人がムスリムとして〝普通〟に暮らしていれば——信仰の自由を行使して、ムスリムの習慣にのっとった結婚式や葬儀や子供の教育を行ったり、豚肉を食べることを拒否したり、ベールを被ったり、髭を蓄えたりすれば、「過激化」のレッテルを貼られ、再教育施設送りになり、財産を没収されるかもしれない、ということです。

大学や研究機関でイスラムの伝統文化や歴史を研究することも、ウイグル人同士で集まって暮らすことも、ウイグルの伝統にのっとって幼馴染《おさななじ》みや子供の頃から決まっている許婚《いいなづけ》と結婚することも、すべて条例違反だと〝言いがかり〟をつけられます。

当然ながら、地元当局による漢族との強制結婚や、漢族居住地域への強制移住や出稼ぎ斡旋にも抵抗できません。抵抗すれば条例違反者にされて、再教育施設送りになります。

端的にいうと、この脱過激化条例を法的根拠として、ウイグル人は自分たちの伝統・文化・習俗・歴史を全否定して、ウイグル人の信仰・イデオロギー・価値観をすべて「中国色」に塗り替えなければ、「再教育」を施されてしまうということです。

宗教のタブーを破らせて笑顔を強要する〝精神的虐待〟

2019年2月5日、中国の春節（旧正月）にあたるめでたい日に、新疆ウイグル自治区グルジャ市（伊寧市）ではある〝悲劇〟が起きていました。漢族の役人たちが春節祝いをもって「貧困少数民族救済」という建前で、ウイグル家庭に新年のあいさつにきたのです。

それだけ聞けば、どこが悲劇なのかと思われるかもしれません。

問題は、その春節のお祝いの品がムスリムにとって禁忌《きんき》の豚肉と酒だったことでした。

漢族の役人たちはあたかも〝善意〟を装って、ウイグルの人たちに豚肉を食べろと強要しました。もしウイグル人たちが嫌がるそぶりを見せたなら、「脱過激化条例に違反した」といって再教育施設に強制収用するつもりなのです。

このエピソードはラジオ・フリー・アジア（ＲＦＡ）という米国政府系資金が入った独立系華字メディアによって報じられました。

ＲＦＡは米議会立法「国際放送法」に基づき、１９９６年に米議会の出資によりワシントンで設立された、中国語やウイグル語、チベット語などの多言語短波ラジオ放送局です。アメリカの立場でアジアに対し情報発信をしていますが、優れた人権報道で国際的に高い評価を得ています。

特に２０１６年以降の新疆ウイグル自治区で発生した問題に関しては、ショフレット・フォシュル記者らウイグル語放送記者チームの報道が最も確度・信頼性の高い一次情報として、世界中のメディアに引用されてきました。

近年では米国紙の『ウォール・ストリート・ジャーナル』や『ニューヨーク・タイムズ』、イギリスの公共放送ＢＢＣなどの欧米メディアも果敢にウイグル問題を取材して報じていますが、実はこうした欧米メディアに刺激を与え、取材の手引きやヒントを与えているのがＲＦＡなどのウイグル人記者たちなのです。

ところで、グルジャといえば、中国共産党の〝ウイグル迫害史〟のなかでも際立って残酷な

ウイグル巡る中国の政策に抗議。イギリスでデモ（2021年4月22日）
©PA Images/アフロ

出来事として歴史に刻まれている「グルジャ事件」の現場として知られています。

グルジャ事件とは、１９９７年2月5日、ウイグル人のデモが中国共産党によって武力弾圧され、１００人以上の犠牲者を出し、１９０人以上が関与を疑われて処刑されたという悲惨な事件です。いわゆる改革開放後に起きたウイグル人弾圧事件としては最大規模のものでした。

そんな苦痛と悲しみの日に、しかも、その悲劇の起きた土地で、中国共産党はウイグル人の尊厳を冒瀆《ぼうとく》するような非道なことをしていたわけです。

春節を祝う習慣のないムスリムのウイグル人に春節を祝うように強要したうえに、忌避《きひ》すべき豚肉と酒を無理やり食べたり飲ませたりしました。

それだけでも十分にひどいのですが、ＳＮＳにアップされた動画には、笑顔のウイグル人が対聯（中国の伝統的な建物装飾で、門の両脇などに対句を記したもの）を貼る様子や、豚肉を料理する様子、酒を飲んで春節を祝っている様子などが映されています。

彼らは〝笑顔〟まで強要されているのです。

脱過激化条例では、イスラム教文化の世俗化・淡化・中国化こそが「脱過激化」の方法なのだとされています。

だから、春節を祝う習慣のないムスリムに春節を祝わせ、ハラル（イスラム教で許されていること）を否定させ、イスラム風の服装をやめさせ、イスラム風の家屋を改造させるわけです。

しかも、それを強制されているのではなく、〝自主的に喜んでやっている〟ということを対外的に示すために、笑顔で楽しそうに漢族役人と交流している様子を動画などで広め、メディアに報じさせているのです。

建物のなかはコンビニとレストランになっていたウルムチのモスク（著者撮影）

ウイグル人にとって何よりもつらいのは、こうした漢族役人の訪問を受けたときに、〝笑顔〟を貫かなければならないことだといいます。彼らに嫌な顔や、抵抗の様子でも見せようものなら、再教育施設に送り込まれるはめになるからです。

ウイグル人家庭に対する漢族公務員あるいは民間監視

委員の突然の訪問やホームステイは、春節に限らず、頻繁に行われています。

それはいかにも「笑顔の多民族交流」というイメージで中国メディアでは報道されていますが、その実態は、ウイグル人の私生活と心のなかまで中国当局がズカズカと土足で入り込み、信仰と誇りと自由を奪うきわめて残酷な〝精神的虐待〟に他なりません。

ウイグル人と漢族は「親戚」?

このように漢族を新疆のウイグル家庭内に入り込ませる政策は、表向きは「異民族同士が相互直接交流によって相手に親しみをもつ」ことが目的だと宣伝されています。2018年9月末までに全自治区で110万人の党幹部・公務員、俗にいう「民族団結国家工作員」が169万世帯のウイグル人・カザフ人らの家族を訪問しました。

中国共産党の機関紙『人民日報』などには「異なる民族が皆親戚となった」といった見出しで、漢族の党員・公務員らがウイグル人家庭の老人や子供たちと和気あいあいとお茶を飲みながら交流している様子が報じられています。こうした記事だけを読んでいると、党員や役人たちが礼儀正しくホームステイをしていると思ってしまう人もいるでしょう。

しかし、実態はそんなに生やさしいものではありません。

彼らはウイグル人の各家庭を内側から〝監視〟しているのです。

新疆南部で2年間にわたってフィールドワークに取り組んだ人類学者ダレン・バイラーの調査によると、ウイグル人家庭に「親戚」として送り込まれた漢族民間国家工作員たちは、まず家庭内の若者たちのために活動スケジュールを組み、村の党支部に毎朝行って国旗掲揚・国歌斉唱に参加し、夜には習近平思想の勉強会に出席するよう促します。

そして、一緒に中国文化を学ぶためのテレビ番組を観て、中国の書道を練習し、革命歌を歌うなど、ウイグル人が〝健全〟で〝世俗的〟に育つよう指導しながら、家族の行動を観察・記録するのです。

祖国に忠誠心をもっているか、中国語の水準はどうか、イスラム教に対する信仰の度合いはどうか――特に「過激化」の兆候があるか否かについては注意を払っていたそうです。

「アッサラーム・アライクム」とアラビア語で隣人たちとあいさつする、家にコーランがある、金曜にサラート（礼拝）を行う、ラマダンで断食を行う――この程度のことでも、中国政府の政策に照らし合わせれば「過激化」の兆候になります。

あるいは、若い女性たちのスカートの長さ、若い男性の髭の様子、カードゲームで遊んでいるか、映画を観ているか――こういう部分も「過激化」のチェックポイントです。

漢族から見た〝健全〟で〝世俗的〟な家庭とは、壁に習近平の肖像画と国旗が貼ってあったり、子供たちが自主的にウイグル語を使わずに普通話（北京語）で会話していたりするような家庭です。

しかし、一見、そのような家庭に見えても、彼らが本当に「過激化」していないという証拠にはなりません。

なので、漢族の「親戚」たちは、いろいろと質問してそれを確かめます。

中国政府が禁じる「敏感な地域」（当局が〝要注意国家〟に指定した中東などの国々）に住んでいる親戚がいるか、外国に知り合いがいるか、アラブ語やトルコ語の知識があるか、村の外のモスクに行ったことがあるか――もし答えに詰まったり、何か隠し事がある様子だったりすると、今度は子供たちにもこっそり質問してみるそうです。

さらに、ウイグル人が「病的な信仰心」を隠していないかを見極めるため、「タバコを一本吸わせる」「ビールを一口飲ませる」「異性を近づけて反応を見る」「市場で肉を買ってきて〝一緒に餃子をつくろう〟と誘う」といった方法でチェックすることもあります。最後の餃子の例は、もしウイグル人たちが「それは何の肉か」と気にするようであれば、「〝過激化〟の傾向あり」というわけです。

これらがいかに非人道的な精神的虐待であることか……。

ウイグル自治区の街並（2017 年）

自分の家のなかですら、自分の本来の姿を偽り、家族の前でも本音を封印し、好まぬ客を笑顔で招き入れなければならないウイグル人たちの苦痛は想像を絶するものがあります。

彼らは漢族たちの前では、〝幸せで健全・世俗的なウイグル家庭〟を演じなければならないのです。

事情を知らない通りすがりの旅行者が、新疆で漢族とウイグルの〝交流〟風景を目にすれば、欧米メディアが報じるウイグル弾圧を〝フェイクニュース〟だと思うかもしれません。実際、中国の都市部の「良心的」漢族知識人のなかには、「ウイグル人は〝優遇政策〟を受けている」と信じて疑わない人も多いのです。

中国当局の魔の手は海外のウイグル人にも

脱過激化条例の施行後、新疆のウイグル人が中国当局の厳しい管理・監視下に置かれるようになると、中国内のほとんどのウイグル人はパスポートを没収され、原則、当局がそれを保管することになりました。つまり、ウイグル人たちは当局の許可なしには観光や留学で外国に行けない状態になったわけです。

また、すでに外国にいるウイグル人、特に海外留学生に対しては帰国するよう呼びかけられました。素直に戻ってこない場合は、「親を再教育施設に送るぞ」と脅す場合もあったそうです。

あるいは両親を脅して留学中の息子や娘に嘘の連絡を入れさせたケースもあります。「急用があるのですぐ帰国してほしい」「帰国して政府の仕事に協力してほしい」といったことを親の口から子供に対して言わせるのです。親にも子にも大きな精神的苦痛を与える、ものすごく残酷な仕打ちです。

こうした手口により、中国当局が「テロに関与している要注意国家」としてリストアップしている26カ国、すなわちエジプトやサウジアラビア、ケニアなど中東・アフリカのイスラム圏に留学している学生たちが、まず呼び戻されました。中国当局は、海外でウイグル人たちがより色濃くイスラム教に染まることを警戒していたそうです。

帰国した学生たちは身柄を拘束され、再教育施設に放り込まれました。なかには逮捕され、「犯罪者」として投獄された者もいます。あるいは、帰国後に〝行方不明〟や〝死亡〟したケースも珍しくありません。

危険を察知して帰国しなかった留学生に対しては、たとえばエジプトの場合、中国当局の要請を受けたエジプト当局が現地のウイグル人留学生たちを拘束しています。エジプト当局は2017年7月の段階で、少なくとも200人のウイグル人留学生の身柄を拘束し、中国に強制送還しました。その際、留学生たちに対する身柄拘束の理由は告げられなかったそうです。

なぜイスラムの国が自分たちと同じムスリムを見捨てて、中国に売り渡すようなマネをするのでしょうか。

それは、エジプトなど一部のイスラム国家政府が中国経済に依存しており、中国当局の強い要請には逆らえないという事情があるからです。そのため、エジプトのみならず、世界中の多くの国でウイグル人留学生が帰国させられています。

ウイグル弾圧は日本でも行われている

中国共産党によるウイグル人の弾圧は、実は日本国内でも行われています。留学や就職のために日本で暮らしている在日ウイグル人たちもまた、常に中国共産党の民族弾圧の危機に晒《さら》され、日々恐怖を感じながら暮らしているのです。今日ウイグルで起こっている数々の問題は、日本人にとって〝遠い国の無関係な出来事〟ではありません。

日本には2000人前後のウイグル人、あるいはウイグル系日本人が暮らしています。

私は東京近郊に暮らすウイグル人の社会人・留学生たち約20人にインタビューしたことがありますが、驚くべきことにその全員が家族の誰かを再教育施設に収容されているとのことでした。

たとえば10年以上前に来日し、すでに日本国籍を取得しているウイグル系日本人会社員のレテプ・アフメットさんの場合、70歳を超える父親を含め、親族10人以上が「再教育施設」に収容されています。レテプさんは今でこそ日本ウイグル協会副会長という立場で実名で活動していますが、私が最初に取材したときは一般人であり、当時、彼の安全のためにウマルという仮名を使って報じました。

父親が収容されたのは２０１７年の夏のことでした。母親が「父が入院した」と連絡してきたので、レテプさんが「何の病気？」と聞くと、母は口ごもりました。それで、再教育施設に収容されたことを〝察した〟そうです。

中国当局に監視されているＳＮＳのメッセージで「再教育施設」や「強制収容」という言葉を使うと、それだけで〝ブラックリスト〟に掲載されてしまうといわれています。実際レテプさんは、「収容されたことを外国にいる家族に話した」という理由で警官に身柄拘束されたという事例を他のウイグル人から聞いたことがあるそうです。

だから、彼らは、家族が強制収容されたことを誰かに伝えるときには、あいまいに「入院した」や「学校に呼び出された」といった表現を一般的に使います。再教育施設には、古い病院や学校施設を改修したものが多いからです。

レテプさんは、家族や親戚が次々と捕まえられていくというつらい状況に置かれた、年老いた病気がちの母の不安を思うと、すぐにでも帰国して励ましてあげたかったと言います。しかし、一度でも中国に入れば、たとえ彼が日本国籍をもっていても、どんな目に遭うかわかりません。

そうして悶々《もんもん》とした日々を送っていると、1年後の夏に新疆ウイグル自治区の当局から突然電話がありました。

レテプさんの周辺にいる在日ウイグル人の名前を挙げて、彼らの日頃の人間関係や言動の監視に協力するように、という依頼でした。

ようするに「我々のスパイになれ」というわけです。

レテプさんは当然無視しました。すると間もなく、収容中の父親からSNSを通じてビデオメッセージが送られてきました。

スマートフォンで撮ったと思われるビデオのなかで、父親は「私は元気にしています。中国政府は素晴らしい。息子よ、中国政府に協力してください」とウイグル語で訴えてきました。

「ムスリムの誇りである髭を剃られていました。げっそりと痩せて、焦点の定まらないうつろな目をして。声も、まるで原稿を読まされているようでしょう」とレテプさんは、スマートフォンでその映像を私に見せました。

そして、「ここを見てください。監視カメラがあります」とビデオ映像に映る父親の背後のカメラを指さしました。冷静に話し続けていたレテプさんの声が、このときだけ、震えていたことを今でもはっきりと覚えています。

〝ウイグルの血〟が流れているだけで日本でも平和に暮らせない

レテプさんはこの日を境に、自分のＳＮＳから家族のアカウントをすべて消し去り、故郷の家族とは一切の連絡を絶ちました。こういうメッセージをまた受け続ければ、いつか同胞を裏切ってしまう、と思ったからだそうです。

「父はこれで殺されるかもしれないし、もう殺されているかもしれないが、自分や家族を守るためにウイグル人の仲間を売ることはできません。父ならわかってくれると思いました」と、レテプさんは当時の苦渋の決断を振り返っていました。

レテプさんは、かつて日本の名門大学の理工系で学び、一時は研究者の道も考えたそうですが、日本で家族を養っていくためにサラリーマンになったといいます。同郷の妻と子供もすでに日本国籍を取得しています。

しかし、テロや迫害と無縁と思われる平和な国家の日本で、日本国籍を取得し、日本人として日本に馴染んで暮らしていても、〝ウイグルの血〟が流れているというだけで、〝家族の命〟を盾に中国当局の魔の手が伸びてくるのだということを、父親の一件で思い知らされました。

そして、これをきっかけに「自分の家族だけを守って、自分たちだけ安全に生活していくわけにはいかない。ウイグル人として自分にできることはしなければ」と思い、仕事の合間に在日ウイグル人や米国その他のウイグル人と連携して中国当局のウイグル人弾圧に関する詳細な情報を集め、日本メディア関係者に報道してくれるよう働きかける活動を始めたといいます。彼が私にコンタクトをとってきたのも、そうした活動の一環でした。

レテプさんのお父上は、すでに解放されたと当局は言っているようですが、それを確認する方法はありません。

ウイグル人留学生たちが抱えるジレンマ

日本ウイグル協会がＨＰ（https://uyghur-j.org/japan/）に掲載している『中国のウイグル人への弾圧状況についてのレポート』（２０１９年9月27日、第二版）には、在日ウイグル人（帰化者を含む）の被害状況が以下のようにまとめられています。

・日本（海外）にいるウイグル人は中国にいるご家族と連絡が取れなくなっている
・在日ウイグル人でもご家族が収容所に収監された人が多数いる
・在日中国大使館がウイグル人のパスポート更新申請を受け付けなくなっている
・一時帰国者が収容所に入れられたりして日本に戻ってこられなくなっている
・中国にいる家族が人質に取られて、留学生ら自身は帰国やスパイ活動が強要され、「従わないと家族を再教育センターに送る」と脅迫されるケースが増えている
・帰化やビザ申請に必要な書類の中国からの取り寄せができなくなっている

レテプさんをはじめ、私が取材した在日ウイグル人たちも同じような被害を訴えていました。

以前、レテプさんの呼びかけで、都内のとある会議室にウイグル人留学生らに集まってもらったことがあります。

みんな少し怯えたような表情をしてお互いの顔色を窺っていたのが印象的でした。同じ大学に通っていても顔を知らない人たちもいました。事情を聞けば、ウイグル人の学生同士はあまり付き合わないといいます。「中国当局と通じているスパイかもしれない、と疑ってしまうから」というのがその理由でした。

ウイグル人留学生たちは2017年春以降、つまり脱過激化条例の施行後から、日本にいながらにしてさまざまなかたちで中国当局から圧力や迫害を受け続けています。彼らの全員が家族の誰かを収容所に入れられているというつらい状況に置かれているのは、すでに述べた通りです。

その他にも、学生である彼・彼女らにとって切実な問題なのは、一族の長が強制収容されると、学費・生活費など必要なお金の送金が途絶えてしまうことです。

父親が強制収容された男子学生のひとりは「勉強を続けたいし、帰国すれば私自身も再教育施設に入れられる。だからバイトを頑張って学費と生活費を稼ぐしかないが、留学生に許された週28時間のバイトではとても足りない。7月のビザ更新のときは、出入国管理局から呼び出されて（バイトが多すぎるので）厳しい質問もされました。ウイグル人が直面している事情を説明しても、なかなか理解してもらえなくて……」と訴えていました。

彼は2017年10月に突然家族からの連絡が途絶え、メールしても返事がなかったそうです。その後、人づてに父と弟が再教育施設に送られたと聞きました。婚約者の父親も再教育施設に送られて、2017年10月に施設内で死亡したのですが、「理由はわかりません」とのことでした。

留学先の国にいると、新疆にいる家族が収容所に入れられても、誰にも詳しく事情を聞くことができません。先ほども述べた通り、電話やメール、SNSなどは中国当局に監視されているので「収容」という言葉を使うだけで家族が収容所送りの理由になってしまう恐れがあるからです。

レテプさんのケースのように、家族から「父が入院した」といわれれば、それは病院に入院したのではなく、再教育施設に強制収容されたのだと〝察する〟しかないのです。

在日ウイグル人の保護は日本の〝国益〟

父と兄弟を収容所に入れられたという女子学生は、「心臓病の母親だけがひとり取り残されて、心配でたまらないけれど、それでも私は勉強をしに日本に来たんだから勉強しないと、と思って必死に勉強している」と語っていました。

そして、本当はもっと母と連絡を取りたいと思いつつも、誰に盗聴されているかもわからない状態で母と話をして、うっかり何か余計なことを口にしてしまえば、母まで強制収容されてしまうかもしれない、という苦しい胸の内を明かしてくれました。

「本当に、夜中に叫び出したくなるほど不安なんです。でも誰にも何も言えなくて。大学に行けば、まわりは漢族の学生ばかりで、怖いです。このなかに〝私を見張っている人〟がいるかも、と思うと。今抱えている悩みや不安を大学の先生に相談しても、たぶんわかってもらえないし、変に気を遣われて漢族学生と区別されるのも嫌だし、どうしていいか……」

そう話をしているうちに、彫《ほり》の深い目からぽろぽろ涙がこぼれてきました。

私にウイグル人留学生を取材する貴重な機会をつくってくれたレテプさんはこう言っていま

した。

「家族が強制収容され、１年以上も顔を見ることも言葉を交わすこともできず、安否や居所すらわからない苦しみって、死別よりも苦しいかもしれない。ある意味、シリアの内戦よりも残酷なことだと思います。戦争なら世界中が、〝そこで悲惨なことが起きている〟って認識してもらえますよね。でもウイグル人が受けている迫害は、たぶんよその国の人の目からはなかなかわからないのです」

ウイグル人たちはその苦しみを外に向けて発信しようとしても、常に中国から監視・脅迫されているのでなかなかできません。

一方で彼らは〝笑顔の生活〟を強要されているので、事情をよく知らず新疆ウイグル自治区を訪れた観光客たちから、〝とても幸せに暮らしている人々〟だと勘違いされてしまう恐れがあります。

中国内にいるウイグル人たちは、家族がある日忽然《こつぜん》と姿を消しても、当局からいきなり家族の死亡を告げられても、何事もなかったかのように〝幸せなふり〟をして日常生活を営まなければなりません。さもないと、今度は自分が強制収容所に送られ、死体になるかもしれないのです。

「〝人からは見えない〟そんな苦しみを抱えながら、学費や生活費の心配も抱えながら、それでも必死に勉強を頑張っているウイグル人留学生のことを、少しでも日本の人たちにわかってほしい。もし可能なら、中国大使館からパスポートを更新してもらえないようなウイグル人留学生に対して、何か特別の措置を講じてほしい」

私は、このレテプさんの願いをひとりでも多くの日本人に知ってほしいと思います。

「移民法」と呼ばれる改正入管法によって安価な労働移民の緩和を急ぐより、宗教的理由や政治的理由で迫害されて故郷に帰ることのできない留学生難民に対する受け入れの緩和のほうが、よほど優先されるべきでしょう。

日本語が堪能で、志をもって日本に留学にやってきた優秀な学生たちに勉学をまっとうさせて、日本社会に貢献する人材として育て上げることは、間違いなく日本の〝国益〟と合致するはずです。

暴かれた「職業訓練センター」の嘘

新疆ウイグル自治区の再教育施設の数は、陳全国が書記に就任した2016年以降に急増しています。彼の苛烈なウイグル政策によって急激に膨らんだ収容人数に対応するため、小学校や病院、公園などが再教育施設に改造され、強制収容所の増設が急ピッチで行われたからです。2018年にAFP通信社が報じたところによると、新疆ウイグル自治区内には強制収容所が少なくとも181カ所存在しているとのことです。ドイツ人人権問題研究者で、ウイグル弾圧問題を告発する論文を多く発表してきたエイドリアン・ゼンツ氏の推計では最大で1300カ所という数字もあります

陳全国はすべてのウイグル人が「潜在的に反党分子」であると公言しています。『ニューヨーク・タイムズ』が報じた前述の内部リーク文書（新疆文書）によると、陳全国は新ウイグル人への弾圧を正当化するために、2014年に行われた習近平の秘密演説の内容を新疆の治安当局者に配り、「拘束すべき者たちを一網打尽にせよ」と督励していたそうです。これを受けて、治安当局は、新疆地域で前例がないほどの数のウイグル人を逮捕し、「再教育施設」

という強制収容所に送り込みました。

では、その問題の再教育施設でいったいどのようなひどいことが行われているのでしょうか。

何度も言うように、中国当局はこれらの施設を「職業訓練所」だと主張しています。

しかし、AFP通信社が入札や予算関係の文書、業務報告書など、公に入手できる中国の政府文書1500点以上を検証したところ、施設は職業訓練所どころか刑務所のようなかたちで運営されている実態がわかりました。

「職業訓練所」の周囲は、有刺鉄線が張り巡らされ、赤外線カメラまで設置されています。建物の内部では、催涙ガスやスタンガン、「狼牙棒（トゲの付いたこん棒）」などを与えられた大勢の警備員が、「研修生」を厳しく管理しているとのことです。

また、自治区南西部ホータン地区では、施設を管轄する地方背府の部署が、警棒2768本、電気棒550本、手錠1367個、それに催涙スプレー2792缶など、いずれも教育と関係があるとは思えない物品を調達していたことも明らかになりました。

この報道を受けて、共和党のマルコ・ルビオ米上院議員は2018年10月24日に自身のツイッターでこうつぶやいています。

"China trying to convince the world that the Xinjiang internment camps are vocational training centers. But what kind of vocational training center buys 2,768 police batons,550 electric cattle prods,1,367 pairs of handcuffs & 2,792 cans of pepper spray?"

（中国は新疆ウイグル自治区の収容所が職業訓練所だと世界に信じ込ませようとしている。だが、いったいどんな職業訓練センターが警棒２７６８本、電気棒５５０本、手錠１３６７個、催涙スプレー２７９２缶を購入するんだ？）

生還した収監者が語る、再教育施設の恐るべき実態

こうして国際社会がウイグル問題に注目するようになると、再教育施設の収監者や関係者の証言もだんだんと出てくるようになりました。彼・彼女らの証言のおかげで、再教育施設で具体的に何が行われていたのか、世界の人々がその実態を知ることができるようになったといえます。

２０１７年３月からおよそ８カ月、新疆ウイグル自治区・カラマイ市郊外の農村にある「再

オムル・ベカリ　©AP/アフロ

教育施設」に収容されたのち、奇跡の生還を果たしたオムル・ベカリさんの証言は、世界に再教育施設の非道な実態を知らしめた先駆であり、最も生々しい証言のひとつです。

来日時のオムルさんの通訳を担当した在日ウイグル人が私の友人だった関係から、オムルさんの講演や彼自身がオムルさんから聞いた話を日本語に翻訳して提供してもらいました。オムルさんの体験をひとりでも多くの日本人に知ってほしいとのことだったので、これまで私も機会があるたびに伝えてきたオムルさんの貴重な体験を本書でも紹介させていただきます。

オムルさんは１９７６年、新疆ウイグル自治区トルファン市生まれで、民族的にはカザフスタン人とウイグル人のハーフです。成人後はカザフスタンで国籍を取得し、カザフスタン南東部の都市アルマトイの旅行会社に勤務して副社長を務めていました。

オムルさんは２０１７年３月、ウルムチに出張し、帰国前に両親の住む故郷トルファンの実家に立ち寄りました。すると、翌日、突然やってきた武装警察により頭に袋をかぶせられ、手足を縛られて連行されてしまいます。まさに問答無用です。

「最初に血液と臓器適合の検査を受けた。自分の臓器が中国人の移植用に使われるのかと思い恐怖を感じた」と、オムルさんは当時を振り返っています。彼がそう考えたのは、カザフスタンにいた頃から当時中国で盛んに行われていた臓器売買の話を嫌というほど耳にしていたからだそうです。

中国新疆ウイグル自治区とカザフスタンの国境ゲート

その後、オムルさんは4日間にわたって激しい尋問を受け、「お前はテロリストを手伝っただろう？」「新疆独立運動に加担したな」と身に覚えのない罪を問われました。答えないと警棒で脚や腕を傷跡が残るほど殴られます。「私はカザフスタン国民だ。大使館に連絡をとってくれ」「弁護士を呼んでくれ」と要求しても、無視されました。しかし、ここで拷問に屈して「はい」と答えてしまえば「テロリスト」として処刑されると思い、必死で耐えたそうです。

このとき、オムルさんは、ウイグル人が拷問を受ける姿も目の当たりにしています。

彼らは両手を吊るされて、汚水タンクに首まで浸けられて尋問されていたり、極寒のなか、水をかけられて、凍えさせられたりしていたといいます。同じ部屋に収容されていた2人のウイグル人が拷問により衰弱死しました。1人は血尿を出しても医者を呼んでもらえず、放置されていたそうです。

「ウイグル人に生まれてすみません。ムスリムで不幸です」

激しい拷問のあと、オムルさんは「再教育施設」に収容され、獣のように鎖につながれた状態で3カ月を過ごすことになりました。

小さな採光窓があるだけの12平方メートルほどの狭い部屋に約50人が詰め込まれていたそうです。そこには弁護士、教師といった知識人もいれば、15歳の少年も80歳の老人もいました。ほとんどがウイグル人でしたが、カザフ人やウズベク人、キルギス人もいたと証言しています。

食事もトイレも就寝も「再教育」も、その狭く不衛生な部屋で行われました。

起床は午前3時半。それから深夜零時すぎまで、さまざまな手法で「再教育」という名の〝洗脳〟が行われました。

早朝から1時間半にわたって革命歌を歌わされ、食事前には「党に感謝、国家に感謝、習近平主席に感謝」と大声で合唱させられました。

収監者同士での批判や自己批判を強要される〝批判大会〟もあります。「ウイグル人に生まれてすみません。ムスリムで不幸です」と反省させられ、「私の人生があるのは党のおかげ」「何から何まで党に与えられました」「私はウイグル人でもカザフスタン人でもありません。党の下僕です」とひたすら繰り返し言わされるのです。

声が小さかったり、スローガンや革命歌を間違えたりすると、真っ暗な独房に入れられたり、鉄製の拷問椅子に24時間括《くく》り付けられたりするなどの罰を受けました。

得体の知れない薬物を飲むように強要されたこともあります。オムルさんは、実験薬だと思い、飲むふりをして捨てましたが、飲んだ人はひどい下痢をしたり、昏倒したりしていたそうです。

食事には豚肉を混ぜられることもありました。食べないとひどい拷問を受けることになります。

常時警官に見張られ、また収監者同士も相互監視を強いられました。就寝時になると、同じ部屋の約3分の1にあたる15人ほどが起きて、残りの収監者の寝ている様子を監視させられました。

同じ部屋に収容されていた人のなかから毎週4~5人が呼び出されましたが、二度と戻ってこなかったそうです。彼らがその後どうなったのかはわかりませんが、代わりに新しい人たちが入ってきました。

このような生活が8カ月続いた結果、もともと115キロあったオムルさんの体重は60キロにまで減っていました。次第に拷問にも慣れ、痛みも感じなくなり、このまま死ぬのだと、絶望していたそうです。

オムルさんがこの再教育施設から奇跡の生還を果たすことができたのは、彼がカザフスタン国民だったこと（加えて社会的地位のある人間だったこと）が大きな要因でした。

カザフスタンに残されていた妻が国連人権委員会へ手紙を書いて救いを求め、親戚もカザフスタン大使館を通じてカザフスタン外務省に訴え続け、人権NGOやメディアも動いてくれた結果、なんとか2017年11月4日、オムルさんは釈放されました。

しかし、トルファンにいたオムルさんの両親、親戚13人が強制収容され、2018年には収容所内で80歳の父親が死亡します。死因は不明ですが、ウイグル問題を国際社会で告発し続けるオムルさんへの報復のための虐待死が疑われています。オムルさん自身、今も日常的に命の危険を感じて、ひとりでは出歩かないようにしているそうです。

BBCによる衝撃の報道

２０２１年2月、イギリスの公共放送ＢＢＣがウイグル人権問題に関して、世界に衝撃を与える内容を報じました。

それは、新疆ウイグル自治区の再教育施設で女性収監者に対する強姦《ごうかん》等の性的暴行・性的虐待・拷問が組織的・日常的に行われていたという証言です。

２０１８年に新疆ウイグル自治区イリ自治州新源県の再教育施設で約9カ月間拘留されたというウイグル人女性、トゥルスネイ・ジアウドゥンさん（当時42歳）は、ＢＢＣのインタビューにこう答えていました。

「真夜中過ぎに、マスクをし、背広を着て、革靴を履いた漢族の男が収容所にやってきて、独房から気にいった女性を選び、廊下の先の監視カメラのない〝ブラック・ルーム〟に連れ込んだ」

そして、毎晩のように、女性が独房から連れ出され、その部屋で漢族の男に強姦されていたといいます。そのうちの何人かの女性は二度と戻ってこなかったそうです。戻ってきた女性たちは、他の収監者に自分の身に何が起こったのかを話さないよう脅されていました。ジアウドゥンさん自身も、複数の男に三度、虐待を受け、輪姦されたことを告白しています。

BBCは「彼女の証言を完全に裏付ける方法はない」としながらも、彼女が提示した旅券証や出入境記録などの書類と、事件の発生した時間の整合性、また彼女が描写した収容施設の配置などと衛星写真図像との分析が合致していることなどを挙げて、その信憑《しんぴょうせい》性を訴えていました。彼女の施設内での日常生活の描写や、受けた虐待の具体的な方法は、他の収容所生還者の証言とも基本的に合致しています。

さらにBBCは、再教育施設に18カ月間収容されたというカザフスタン人のグルジラ・アウエルカーンさんの証言を報じていました。彼女は拘留中、ウイグル人女性に対する性的暴行の手伝いをさせられたといいます。

「私の仕事は、ウイグル人女性の服を脱がし、身動きができないように手錠をはめることでした。それから、その女性を漢族の男たち（外部から来た人間や警官）がいる部屋に置き去りにします。ドアの隣で静かに座り、男たちがその部屋から去ると、女性をシャワーに連れていくのです」

アウエルカーンさんは、漢族の男たちが、かわいくて若い女性収監者を選ぶためにお金を払っていたとも言っています。

また、かつて強制収容所で中国語を教えるように強いられていたウズベキスタン人女性のケルビヌル・セディックさんは、ワシントンに本部があるウイグル人権プロジェクト（ＵＨＲＰ）に、女性器に電気警棒を突っ込まれる拷問を受けている収監者がいたと証言しています。「収容所では建物全体に響きわたるような悲鳴がいつも聞こえていた。昼食を食べているときも、授業を行っているときも聞こえた」

また、施設で知り合った漢族の女性警官から「（再教育施設での）強姦はすでに一種の文化になった」という発言を聞いたことも明かしています。

中国外交部の汪文斌《おうぶんひん》報道官はこのＢＢＣの報道について、証言者の女性たちが「俳優」であり、報道自体がフェイクだと主張しました。〝いつも通り〟の反応です。

電気警棒を性器や肛門に突っ込むという拷問は、私自身も、チベット人記者や、天安門事件で政治犯として投獄経験をもつ亡命華人から間接的・直接的に経験談・目撃談を聞いたことがあります。痛みとともに人間の尊厳を破壊する最も効果的な拷問として、中国では伝統的な手法なのだ、と。

また、前述のジアウドゥンさんもBBCのインタビューで女性器に電気警棒を入れられる拷問を受けた経験があることを証言しています。

BBCと中国政府どちらの言い分が〝真実〟に近いかといえば、私は自分の取材経験とも照らし合わせて、BBCのほうを信じる次第です。

新疆は一大臓器ビジネス市場⁉

BBCが報じた以外にも、前出の『中国のウイグル人への弾圧状況についてのレポート』によると、再教育施設に収容された女性たちは、強制的に不妊手術を受けさせられたり、「不妊化」する薬を強制的に投与されたりしているなどの証言もあります。

また、収監者に対する虐待とともに国際的に大きな問題とされているのが、再教育施設と臓器売買とのかかわりです。

これまで各施設からは多数の死者が出ているはずなのですが、一部の老人の遺体以外は家族のもとに返されません。ウイグル人の死者は、一般人の入ることができない遺体処理・安置所で焼却処分されているともいわれています。

そもそもウイグルには、故人の葬儀を行い、専用の墓地に埋葬する民族習慣があります。なので、亡くなったウイグル人を勝手に火葬すること自体もウイグル文化への冒瀆だといえます。

しかし、さらに問題なのは、施設で亡くなったウイグル人の遺体に〝臓器が抜き取られた痕跡がある〟という情報が出てきたことです。

つまり、臓器売買のための「臓器狩り」がそこでウイグル人に対して行われているかもしれないということです。

実際、ウイグル人が臓器提供者として狙われているという噂は1990年代からありました。先に述べた通り、再教育施設から生還を果たしたオムル・ベカリさんも、強制連行されて最初に血液と臓器適合の検査を受けた際に中国での臓器売買の噂が頭に浮かび、自分の臓器が移植用に奪われるかもしれないと恐怖を感じていたほどです。

陳全国が新疆ウイグル自治区の書記に就任してからウイグル人の生体情報を「検診」と称して集めていたことはすでに述べました。中国国営の新華社通信は2017年11月に衛生当局の統計として、新疆の総人口の約9割にあたる1900万人がDNAや血液サンプルを採取する「検診」を受けたと伝えています。

中国当局がこれほど大規模なウイグル人の生体情報を収集した目的のひとつに、ウイグル人に対する「臓器狩り」があったということは十分に考えられます。

〝無法地帯〟だった中国の臓器移植

中国の臓器移植は1960年代から実験的に始まりました。1972年には初の家族間生体腎臓移植に成功し、その後、さまざまな臓器移植のトライ・アンド・エラーを重ねながら技術的向上を図っています。

そして、1984年に「死刑囚遺体・臓器を利用するための暫定的規定」が施行され、身元引受人がいない、あるいは家族および本人が反対しない場合は、〝死刑囚の臓器〟を医学の進歩のために利用してよい、ということになりました。中国の臓器移植技術が飛躍的に進歩したのは、この法律があったからといっても過言ではありません。

２００７年の人体臓器移植条例が施行されるまでは、中国の臓器移植における死刑囚の臓器利用は合法で、臓器売買も公然と行われていました。

それだけでなく、子供が突然失踪して、帰ってきたときには腎臓が1つ抜かれていた、という事件や、臓器や眼球が奪われたバラバラ遺体が発見される、というショッキングな事件が地方ではけっこう報じられていたのです。

２００７年の人体臓器移植条例は、当時〝無法地帯〟化していた臓器移植の分野に対し、

①臓器の売買は禁止し、無償であり、かつドナー本人の意志が明確であること
②生体肝移植は配偶者、３親等内の血縁関係があること
③外国人に臓器を提供しないこと

などをルールとして定めたものです。

中華医学界もこの年に「死刑囚の臓器提供は親族がレシピエント（臓器の受取人となる患者）でないかぎり原則禁止する」との声明を出しています。

また、同年には、最高裁（最高人民法院）の審査を経ずして地方裁判所が勝手に死刑判決を出すことができないように司法改革がされました。その目的は、「死刑囚臓器」に対する地方司法当局の〝利権化〟を防止するためでもありました。というのも、当時は移植医療機関や移植希望者が臓器を奪い合うという状況であり、地方司法当局が賄賂目当てで死刑にする必要のない人にまで死刑判決を乱発していたからです。

この司法改革で死刑執行は大幅に減りましたが、それでも死刑囚臓器を移植医療に利用する現実は続きました。２００９年の時点で、中国の臓器移植手術の実に65％が死刑囚から提供されていたことを『チャイナデイリー』（中国共産党傘下の英字新聞）が報じています。

また、この頃はカナダで『ブラッディ・ハーベスト』（デービット・キルガー、デービット・マタス著）という法輪功（中国共産党に「邪教」認定された気功団体）の学習者（信者）をターゲットにした「臓器狩り」の実態を暴く書籍が話題となり、死刑囚ドナーの実態が非人道的で強制的な臓器搾取であるとして、国際社会からの中国に対する風当たりが非常に強くなった時期でもありました。

そのため、当時の移植医療の最高権威であり、衛生部副部長の黄潔夫が「死刑囚臓器を利用すべきでない」という方針をあらためて発表しています。

現在中国の公式の立場は、２０１２年から段階的に死刑囚臓器の利用を縮小し、２０１５年以降はいっさい死刑囚臓器を利用していない、というものです。すなわち、中国も日本と同様に、生前に明確に臓器提供の意志を示した書類を残していないかぎりは臓器提供できない、ということに〝表向き〟はなっているわけです。

しかし、今もなお、中国が〝新鮮な臓器〟を手に入れるために死刑囚・服役囚を利用している、あるいは死刑になる必要のない人にまで死刑判決を出している、あるいは病気など獄中の不審死者を臓器ドナーに利用している、などの噂が消えずにささやかれ続けています。そして、その最大の〝市場〟が新疆ではないか？　という疑念が拭《ぬぐ》えずにいるわけです。

統計的に計算が合わない中国の臓器移植手術件数

前述の通り、表向きは2015年以降、死刑囚臓器の利用が全面禁止されているはずなのに、中国の移植手術件数は〝順調〟に伸びています。

2017年には1・6万例と発表されていますが、中国のドナー登録件数は、2018年までせいぜい37・5万人。英米の統計方法で試算すると、このドナー登録数から適合者が見つかり、実際に手術ができる数は26～52人くらいのはずだといわれています。

2017年の〝善意のドナー提供〟は5146例と発表されていますが、このような数字では「全然計算が合わない。信用できない」とワシントンに拠点を置くNGO組織「強制臓器奪取に反対する医師の会（DAFOH）」代表トルステン・トレイ医師はボイス・オブ・アメリカ（アメリカの国営放送）でコメントしています。ちなみに、同じ2017年のアメリカでは、ドナー登録1・4億人に対して、適合して臓器提供が実施できたのは1万284人です。

それを踏まえると、中国の臓器移植で実際に行われていることとして考えられるのは、比較的適合率の高い家族間生体臓器移植をものすごい件数こなしたか、闇密売ルートで適合する臓器を大量に手に入れたか、死刑囚・服役囚の臓器をこっそり利用し続けていたかくらいでしょう。

仮に死刑囚・服役囚の臓器を利用していたとしても「死刑囚でも服役囚でも市民のひとりだから、〝善意のドナーになりたい〟という希望があれば拒否できない」という〝言い訳〟は可能です。実際、黄潔夫がそのような発言をしています。しかし、そもそも中国という国に死刑囚・服役囚の意志が尊重される環境があるのか疑問です。

また、家族間生体臓器移植は合法ですが、実際は家族証明などいくらでも偽装できるため、密売ルートの温床になっています。

しかし、それ自体も実はそんなに多くはありません。中国では、伝統的価値観もあって、「お金をもらってもドナーになりたくない」という人のほうが多いのです。

中国の土俗信仰では、遺体に傷をつけることは〝辱《はずかし》め〟だとして忌避されます。いまだに火葬を嫌がる人も多く、江西省で強制火葬がルールになったときも「残酷な政策」として人々が反発しました。「死体に鞭打つ」ことを最大の侮辱と捉えるのも、こうした価値観が根底にあるからです。

それを踏まえると、膨大な血液検査やDNAなど生体情報が登録・管理されていて即時に適合検査が可能で、いつでも再教育施設に強制収容が可能で、家族も生死安否の確認ができず、〝死亡〟すれば火葬されて遺体が残らない、という新疆ウイグル自治区のウイグル人たちは、中国政府からすると「理想的な臓器のストック」ということになるのでしょう。

サウジが国家ぐるみでウイグルの「清い臓器」を買っている？

ウイグル人その他のムスリムの臓器は「ハラール・オーガン」と呼ばれ、豚肉を食べていない「清い臓器」として、イスラム圏のレシピエントのあいだで非常に高い需要があります。それと関連するように、中国の移植医療病院では、中東風の容姿をした富裕層外国人の入院患者の多さが報告されているのです。

現在イギリスに亡命中で、かつて中国当局の命令を受けて死刑囚の臓器摘出を執刀した経験があるというウイグル人医師アニワル・トフティ氏は、ラジオ・フリー・アジアの取材（2019年3月15日）に答えて、新疆のウイグルを含むイスラム民族の臓器が高額でサウジアラビア人の移植手術希望者に譲渡されている可能性、そしてそれにサウジアラビア国家そのものがかかわっている可能性について言及しています。

彼らは自国でレシピエント登録し、医療費を支払ったあと、ウルムチ市内の移植病院に手術を受けに来るといいます。

そして、中国の病院への支払いはサウジアラビア大使館が立て替える、ということになっているようです。

また、新疆の「テロリスト」たちの収容施設は近年、沿海部につくられており、その施設の付近には必ず移植医療施設がある、とも指摘しています。

常識では考えられないスピードで適合臓器が見つかる中国

中国側は、ドナー登録者数に対して移植実施数が異様に高いのは、中国の移植技術、たとえば「自己肝臓温存移植術」などのレベルが特別に高く、ドナーの必要ないケースもあるからだ、と主張しています。

しかし、中国の臓器移植手術における〝異常な数字〟は、とてもそれだけで説明できるとは思えません。

中国での不法な臓器移植の実態を調査している「中国臓器収奪リサーチセンター（本部・ニューヨーク）」によると、中国の病院で臓器移植手術を受ける患者の待機時間は平均で1〜4週間、最短ではなんと数時間で適合臓器が見つかるケースもあるそうです。

これは世界の移植医学の〝常識〟では考えられないスピードです。

「世界最大の移植大国」アメリカでも、心臓なら8カ月、肝臓なら2年2カ月、腎臓では3年1カ月の平均待機時間を要するといわれています。

しかも、移植手術に求められる血液型と細胞の組織型の同時一致がみられる確率は、血縁者以外の場合、わずか6・5％しかありません。年に1万人前後の死後臓器提供者がいるアメリカでも適合臓器が見つかるまで時間を要するのはそのためです。

ではなぜ中国ではそんなに早く適合臓器が見つかるのでしょうか。

これに対し、中国による臓器収奪・売買を全廃することを求める団体「ＳＭＧ（Stop

Medical Genocide）ネットワーク（中国における臓器移植を考える会）」は「中国には、需要があれば直ちにそれに応えられる大量の臓器ストックがあるからだ――としか考えられません」と結論付けています。

また、同団体は、臓器が冷凍保存できず、ドナーから摘出された臓器は、直ちにレシピエントの体内に移植する必要がある（通常、腎臓は12～24時間、肝臓は12時間、心臓は4～6時間以内に移植しなければ臓器として機能しない）ことから、「中国の移植用臓器は生きたまま大量に保存されている」可能性を指摘しています。

これらはすべて、中国人がウイグル人から「臓器狩り」をしているのだとすれば、辻褄《つじつま》の合う話です。

たとえば移植希望者が現れてから、DNA登録がしてあるウイグル人のデータを検索して適合する相手を見付け、その人物を「再教育施設」に強制収容し、〝個人の希望〟でドナー登録し、〝不慮の事故もしくは病気により収容先で死亡した〟とでもすれば、その人物の臓器をすぐに利用することができます。

まさに「死人に口なし」で、「臓器提供は〝本人の希望〟だから違法ではない」と言い張れるわけです。

繰り返しますが、再教育施設や監獄で〝死亡〟したウイグル人の遺体は、一部の老人の遺体を除いて、大半が家族のもとに返されません。死因もほとんど説明されることなく、電話で一方的に「火葬した」と伝えられるだけです。

近年、再教育施設の周辺やウイグル人密集地域になぜか火葬場の建設が増えており、火葬場職員・警備の急募がネット上に見られるようになりました。

「臓器狩り」されたウイグル人の遺体がそこで燃やされて〝証拠隠滅〟されているのでしょうか。

こういう状況では、疑い出せば疑心が深まるばかりです。

中国の移植医療がいまや世界最高水準を誇っていることは、〝事実〟として間違いありません。

２０１６年10月に北京で行われた中国国際移植・ドナー会議では、ＷＨＯ（世界保健機関）の陳馮富珍（マーガレット・チャン）事務局長が中国の臓器移植を「中国モデル」として各国の臓器移植事業の模範となるとたたえるメッセージを送っていました。

しかし、その〝世界のモデル〟とされる高い技術力がウイグル人ら特定の民族への〝ジェノサイド〟によって成り立っているのだとしたら、素直にそれをたたえる気持ちには絶対になれません。

このウイグル人の「臓器狩り」の話が、本当に中国政府のいうように事実ではなく、私たち外部の人間の疑心暗鬼から生まれた〝妄想〟であればどんなによいことか……。

中国当局が私たちの疑いを晴らすために、海外の国際機関などの立ち入り調査を受け入れてくれることを切に願うばかりです。

親の「再教育」で〝孤児〟にされる子供たち

再教育施設への強制収容の問題に伴って起きているのは、親が収容されているウイグル人の子供たちの養育問題です。

国際人権組織ヒューマン・ライツ・ウォッチのリポートによれば、親が再教育施設に入れられて家に残されたウイグル人の子供たちが、親族のもとから強制的に連れ去られ、「福祉」の名のもとに公営孤児院に入所させられるというケースが続出しています。

そもそも中国の法律では、こうした孤児院が子供の養育権を親族から強制的に取り上げる権利は認められていません。

しかし、新疆ウイグル自治区の書記・陳全国は、2016年11月に「すべての孤児を2020年までに公営孤児院に収容するように」と各下級地方政府に指示を出しました。

これを受けて、2017年1月には政策実施ガイドラインが発表され、新疆内の各地域に100人規模の児童が収容できる〝孤児院〟の建設ラッシュが始まります。

また、県レベルでは収容孤児数の達成ノルマが課されました。ノルマに達しない公務員は「政治成績」が減点されてしまいます。

そのため、祖父母や叔父叔母らきちんと保護者がいる子供を「孤児」にして無理やり引き離し、孤児院に収容するケースもあったそうです。

親族は強く抵抗すると自分が再教育施設に入れられる恐れがあるので、抵抗できません。孤児院に連れて行かれた子供はその後、親族とほとんど面会の機会もなく、完全にウイグルの家族と切り離されて教育を受けることになります。

ウイグル人は一族意識が強く、もともと大家族制です。本来、両親がいなくても親族が責任をもって子供たちを養育するという伝統があります。

中国当局はそのウイグルの伝統を完全に無視して、子供たちを孤児院に〝強制収容〟しているわけです。

また、そもそも中国の公営孤児院の〝質〟が信用できないという問題もあります。

実際、孤児院による子供の強制労働や迫害の問題がニュースとして報じられることも少なくないのです。

中国が行っている残酷な〝組織的〟児童虐待

中国当局の狙いは、ウイグルの徹底した「中国化」です。

中国当局は、ウイグルの大人たちを再教育施設で〝洗脳〟して中国化しながら、ウイグルの子供たちに中国化教育を強制すれば、きわめて短時間でウイグル全体を中国化できる（＝ウイグルの価値観・伝統・文化を完全に消し去ることができる）と考えています。

一方、ヒューマン・ライツ・ウォッチは、子供たちの孤児院への〝強制収容〟について法的根拠がなく、しかも中国が批准する国連の「児童権利公約」の序文にもある「家庭とは児童の成長と幸福のための自然環境」という定義にも背く、と批判しています。

さらにひどいことに、あるウイグル人がヒューマン・ライツ・ウォッチに証言したところによると、親がいても子供を孤児院に収容するケースもあるそうです。

たとえば、ある10歳の児童は、父親が「再教育」を受けていたため、母親と親族と一緒に暮らしていたのですが、当局に「保護」され、孤児院に収容されてしまいました。母親は週に一度、短時間の面会のみ、当局の監視下で許されるという状況でした。

習近平思想を学ぶ子供たち（協力者提供）

また、新疆南部の大家族の5～15歳の子供は、親のいる・いないにかかわらず、孤児院に収容されているともいわれています。

親がほとんど〝言いがかり〟のようなかたちで再教育施設に収容され、その行方がわからないだけでも幼い子供にとってはショックなことなのに、今度は馴染んだ家から連れ去られて孤児院に隔離され、祖父母や親戚など頼りになる身近な大人たちとも会えなくなってしまうのです。

子供に対して、これほど残酷な精神的虐待があるでしょうか。

これは児童福祉の建前を使った子供に対する〝洗脳教育の強制〟であり、特定の民族に対する迫害であり、きわめて残酷で組織的な児童虐待だといえます。

〝農場の家畜〟のように扱われる孤児院の子供たち

ウイグルの家族から子供を隔離する政策は「寄宿学校」の増加というかたちでも表に出てきています。

孤児院は両親が死亡、あるいは失踪している子供を収容する施設です。前述の通り、孤児院が子供の養育権を親族から強制的に取り上げる行為は、いちおう法的には認められていません。しかし、「寄宿学校」なら、両親が健在でも子供を収容することができます。

AP通信（2018年9月21日）によれば、中国で少数民族言語しか話せない子供たちを「教育」するための寄宿学校が1000以上つくられており、子供たちに対して徹底的・強制的に漢人教育が行われているそうです。

AP通信が取材した、イスタンブールの亡命ウイグル人は、2014年に9歳の子供を強制的に寄宿学校に入学させられたといいます。

週末は帰宅が許されていましたが、病弱な子供のことを母親が心配して、一度だけ学校に様子を見に行ったことがありました。すると、その学校は、窓に鉄格子がはめられ、家族も教室に入ることが許されなかったそうです。

またラジオ・フリー・アジアが新疆南部の孤児院関係者に取材をしたところ、孤児院には子供が多すぎて、まるで〝農場の家畜〟のように柵で仕切られたスペースに押し込まれている、という証言がありました。

孤児院は「子供の福祉」という名目で、大量の寄付金・支援金を得てはいるものの、それは子供のためにはほとんど使われていないようです。食事も週に一度だけ肉類が出されるくらいで、ほとんどがおかゆである、などの問題が指摘されています。

もう一点補足すると、ウイグル人の父親が再教育施設に収容され、若い妻と幼子が家に取り残されている家庭には、漢族男性の公務員や党員が「お世話係」と称して家に上がり込み、いつの間にか父親の座に居座ってしまうケースもあるそうです。

このように新疆の再教育政策は、ウイグル人の大人を「再教育」の名のもとに強制収容し、ウイグル人の子供たちを「福祉」の名のもとに隔離し、ウイグルの伝統である大家族を分断し、大人にも子供にも〝洗脳〟を行い、女性には不妊を強制しています。

つまり、その実態は、ウイグルの宗教・伝統・文化の継承を断ち、ウイグルを「中国化」してウイグル人そのものをこの世から消し去ろうという一種の〝民族浄化〟プロジェクトなのです。

新疆で行われている「両面人狩り」とは？

新疆ウイグル自治区では多くの一般市民とともに、ウイグルの著名人たちも〝見せしめ〟的に処罰されています。

中国国籍とウイグルの民族性の双方をもち、国際的な名声を得ていた彼らは本来、中国共産党が「多民族国家をつくり上げた」という〝成果〟を強調するうえでは素晴らしい〝宣伝塔〟となり、〝シンボル〟となったはずです。

ではなぜ、彼らは迫害されなければならなかったのでしょうか。

それは、中国共産党が目指している国家ビジョンが口で言っているような「多民族国家」ではなく「中華民族国家」であり、そのために、中華民族意識に染まらないウイグル人らを文化・伝統ごと抹殺せねばならない、と考えているからだと思います。

ウイグルの知識人・著名人・文化人・成功者らを弾圧することは、ウイグル文化の継承者の血を断つという意味で、その目的のために効果的なのでしょう。

米国NPOのウイグル人権プロジェクト（UHRP）の集計によれば、2016〜2018年の著名ウイグル人の身柄拘束者・逮捕者・受刑者・行方不明者を整理すると、実に338人にものぼります。

習近平政権になってから、中国全体で知識人弾圧が展開されていますが、ウイグル人に対するそれは度が過ぎています。

たとえば新疆大学だけでも、同大学学長のタシポラット・ティップ（2017年3月拘束、執行猶予付き死刑判決）を筆頭に17人。新疆師範大学、新疆医科大学、カシュガル大学などの大学関係者、社会科学院などの共産党系研究機関に所属している教授・博士・研究員・ウイグル教科書編纂関係者など学術・教育関係者だけでも50人近くいます。

また、ジャーナリスト・作家・詩人・出版業界では39人。スポーツ・芸能界で11人。経済界で10人います。

彼らの多くは、これまでは共産党とうまく付き合ってきた人々です。

しかし、そんな体制内のウイグル著名人も、陳全国が書記として新疆にやってきてからは、「両面人（共産党内にいて、実は反共的思想をもつ人間）」として集中的に糾弾《きゅうだん》されるようになりました。

こうした「両面人狩り」は、監視システムや社会信用システムおよび密告制度が浸透にするにつれ、漢族社会のあいだでも起きていますが、新疆の状況は群を抜いています。

はっきりいって、中国共産党内には、政権に批判的であったり、密かに不満をもっていたりする人間など、掃いて捨てるほどいます。

すべてを称賛し、すべてを肯定する人間などいないのが普通です。

どんなに厳しい社会でも〝心の中の自由〟は与えられるべきでしょう。

しかし、中国のように監視カメラや盗聴システムを駆使した〝監視社会〟が構築されていくと、ちょっとした本心の吐露《とろ》が「両面人」の決定的証拠となってしまいます。

その排除の徹底が、監視システムが最も高度化した新疆地域から始まっているのです。

今、ウイグル版「文化大革命」が起きている！

新疆で行われている「両面人狩り」の典型的な犠牲者のひとりが、自治区の教育長庁だったサッタル・サウットという人物です。

サッタルはウイグル語教科書を編集し、自治区内で使用したことが「重大な規律違反」に問われ、執行猶予付き2年の死刑判決を受けました。

ウイグル語教科書については、当局から「文学、歴史、道徳分野には、民族分離を煽る内容が含まれており、それを12年間も現場で使ったため、大勢の若者が深刻な洗脳を受けた」と糾弾されています。

民族の言葉と誇りを子供たちに教えただけで死刑（執行猶予付き）など、本当に21世紀の国家がすることでしょうか。

こうした当局のウイグルの知識人・文化人・著名人狩りについて、UHRP（ウイグル人権プロジェクト）のコーディネーターのズバイラ・シャンセゲンは「人の身体の自由を奪う身柄拘束の問題だけでなく、彼らのもつ知識を破壊し、ウイグル人が先祖から受け継ぎ、後世に伝えるべき文化的財産を破壊することです。ウイグル文化とアイデンティティの根絶を意味し、民族そのものを抹殺することと完全に同じなのです」と糾弾しています。

ここまで述べてきたことからも明らかなように、今日、新疆ウイグル自治区で起きていることは、まさにウイグル版の「文化大革命」なのです。

このまま中国共産党のウイグル政策を放置しておけば、おそらく10年もたたないうちに、ウイグル語やウイグルの文化――音楽、文学、絵画、民族固有の伝統美や習俗がことごとく失われることでしょう。

カシュガルの人民広場の毛沢東像
（著者撮影）

トルファンの反ムスリムプロパガンダ
（2019年）

そして、ウイグルの子供たちは自分の本来のアイデンティティを失い、文化大革命のときの紅衛兵のように、自分たちの伝統文化を否定し、両親の「危険な思想」を中国共産党に密告するようになるかもしれません。

習近平政権がウイグルの〝中国化〟にこだわる理由とは？

中国共産党のウイグル人への迫害は習近平政権から始まったわけではありません。しかし、習近平政権になってから打ち出されているウイグル政策は、これまでとはちょっと様子が違います。

再教育施設に100万人以上を強制収容したという一例をとってみても、もはや中国共産党に刃向かう〝反体制派〟を抑え込むというレベルの話ではありません。ウイグル人の民族・歴史・伝統・文化を〝破壊〟しようといわんばかりの苛烈さを感じます。

実際、再教育施設のなかで行われている非人道的な行いは、前述の通り、ウイグル人から尊厳と信仰と伝統と文化を奪い、ウイグル人そのものを中国人に〝改造〟しようとするものです。

そもそも習近平政権は、なぜこれほどまでウイグルを〝中国化〟したいのでしょうか。

そこには、中国が国家戦略として掲げている現代版シルクロード経済圏構想「一帯一路」の戦略が関係しているとみられています。

中国にとって一帯一路は、単に「中国を中心とする広域経済圏を築く」という経済の話ではなく、「中華民族の偉大なる復興」という中華圏拡大の〝野望〟を実現する重要な布石なのです。ようするに、「〝世界を中国化〟するために、まずはシルクロード沿線の国々を中国化していこう」という戦略の基礎になっているわけです。

　中国化とは、中国の価値観・秩序・ルールによって、経済も金融も市場も宗教も社会も人々の暮らしさえも管理・コントロールすることです。

　習近平の最側近である王岐山《おうきざん》（現国家副主席）が2015年4月にアメリカの政治学者フランシス・フクヤマと対談した際にも「中国における〝政治〟とは人民を管理することなんですよ」とはっきり言っています。

フランシス・フクヤマ

　繰り返しますが、一帯一路には、中央アジアから欧州、東南アジアからインド洋、アフリカを中華勢力圏に収めるという壮大な〝野望〟が隠されています。

　それを実現するには、まずこの一帯一路の〝起点〟である新疆ウイグル自治区の管理・コントロールを徹底しなければなりません。

王岐山

だからこそ、習近平政権はウイグルの〝中国化〟を急いでいるのでしょう。

第3章

日本人が知っておくべき「習近平」という〝災い〟

「皇帝」習近平は「無能」なリーダー？

2021年現在の中国共産党中央総書記にして国家主席である習近平とは、どのような人物でしょうか。

中国のみならず日本やアジア、あるいは世界の今後を大きく左右する重要人物でありながら、中国の最高権力者であるということ以外、彼についてほとんど何も知らないという日本人が大半だと思います。どういった経歴の持ち主なのか、なぜ今の最高権力者の座に就くことができたのか、すらすらと答えられる人はおそらくあまりいないでしょう。

かくいう私も習近平本人に直接会ったことはないのですが、実際に会ったことのある数人からその人物像を聞いたことがあります。

「自信のない、気弱なところのある人だった」

「凡庸な人間だ」

「マザコンで、シスコンだ」

「無能だ。頭が悪い」

はっきり言って、低評価のオンパレードでした。

しかし、それはそれで不思議ではないでしょうか。

なぜそんな「無能」な人間が14億人以上も人口がいる中国で「皇帝」と呼ばれるほどの独裁的な権力の座にいるのでしょうか。

中国という国の〝本質〟を知り、対中政策の判断を誤らないためにも、隣国の私たち日本人は、習近平という〝人間〟についてもっとよく知っておく必要があると思います。

「紅二代」習近平の〝華麗〟なる経歴

習近平は１９５３年６月15日、中国のほぼ中央に位置する陝西省《せんせい》で生まれました。父は中国共産党の重鎮で、「建国八大元老」のひとりに数えられる習仲勲《しゅうちゅうくん》という人物です。

中国では、共産党の高級幹部の子弟子女は「太子党（プリンス党）」と呼ばれ、〝親の七光り〟

習仲勲と息子の習近平・習遠平兄弟（1958年）

天安門事件 ©AP/アフロ

の恩恵を受けて、〝生まれながらの特権階級〟のポジションにいます。その太子党のなかでも、特に習仲勲のように中国建国に貢献した革命家の子孫は「紅二代」と呼ばれ、「我々の親がこの国をつくったのだ」という誇りからくる強い特権意識をもっています。

ようするに、貴族や王族のようなものであり、まさに習近平は典型的な太子党・紅二代に属する人間なのです。

しかし、父・習仲勲は、いわゆる文化大革命（１９６６～１９７６）のときに権力闘争で敗れて投獄され、１９７６年の天安門事件の際にも鄧小平に逆らって不遇な目にあっています。そのため、習近平自身も文化大革命時代には「反動学生」として迫害され、陝西省北部の貧しい村に下放（共産党幹部の子弟を地方の農村などに事実上追放すること）されるなど、子供の頃に権力闘争の恐ろしさを、身をもって体験してきました。

習近平は16歳から約7年間、下放生活を送りました。その間、１９７４年に中国共産党に入党し、生産大隊の党支部書記を務めています。

１９７５年には父が復権したことから北京に戻り、中国を代表する名門大学である清華大学の化学工程学部に入学。１９７９年に卒業したあとは、国務院弁公庁および中央軍事委員会弁公庁に勤務しながら、当時国務院副総理で党中央軍事委員会幹部の耿飈《こうひょう》の秘書をかけもちで務めました。

１９８２年以降、習近平は地方官僚の道を歩み、河北省正定県の党委員会副書記、福建省アモイ市副市長を経て２０００年に福建省長に就任。その後も、浙江省や上海市の党委書記など地方の要職を歴任しています。

その後、２００７年10月、中央政治局常務委員に大抜擢《ばってき》されて中央政界入りを果たすと、翌年3月の全人代で国家副主席に選出され、２０１０年10月には中央軍事委員会の副主席に任命されました。

さらに、２０１２年11月に開催された中国共産党の第18期第１次中央委員会全体会議で中央政治局常務委員に再選され、胡錦濤の後継者として総書記に就任。同時に党中央軍事委員会主席の座に就きます。

そして、２０１３年3月14日の全人代で国家主席、国家中央軍事委員会主席に就任して以降、自身への権力集中と独裁体制を強めながら、現在にいたるわけです。

名門・清華大学出身の習近平は〝地頭〟がいい？

さて、長々と習近平の経歴について説明してきましたが、正直いってこんな「事典」的な解説では、何が何だかさっぱりわかりません。どうしても我々日本人にはあまり馴染みのない単語の羅列になってしまうので、習近平がどのようにして今日の地位に上り詰めたのか具体的なイメージがわきにくいかと思います。

また、文字面だけ見ると、それなりに〝華々しい〟経歴が書き連ねられているので、習近平が人にいわれているほど「無能」には思えないかもしれません。

特に学歴に関しては、名門中の名門・清華大学に入学していますし、同大学の大学院法学課程で法学博士号も取得しています。それを聞いたうえで「習近平は頭が悪い」といわれても、いまひとつピンとこないことでしょう。

毛沢東

李克強

しかし、彼が清華大学に入学した１９７５年というのは、文化大革命中でまともな大学入試がなかった時期であり、当時の入学者はほとんどが毛沢東の推薦によるものです。もちろん、習近平も〝コネ〟による推薦入学でした。また、大学院法学過程での法学博士号論文も〝代筆〟説が濃厚だといわれています。当時を知る清華大学の教授は「キャンパス内で習近平を見かけたことがない」とも証言していました。

ちなみに、現首相の李克強《りこっきょう》は習近平より3歳年下で、清華大学と双璧をなす名門・北京大学出身なのですが、彼の時代には大学入試が再開していたので、ちゃんと自らの実力で北京大学に入っています。それどころか、卒業時には学内一の成績で、イギリス留学を選ぶか、官僚政治家としての出世コースを選ぶか悩んだほどの秀才だったそうです。

そんな人物が党内ナンバー2の座にいるわけですから、習近平は他人が思っている以上に学歴コンプレックスに悩まされているのかもしれません。

習近平はもともと自信がなくて気弱な〝いじめられっ子〟だった⁉

習近平は出世のスピードがものすごく速いのですが、それも彼自身の実力ではなく、〝親の七光り〟の恩恵だといわれています。

実際、習仲勲は息子に対して過保護なところがありました。習近平が河北省正定県（日本でいう市レベル）の書記から官僚人生をスタートした際には、当時の河北省の書記・高揚にわざわざ電話までして、「息子をよろしく」と頼んだそうです。

しかし、高揚は昔の中国共産党員らしい硬骨漢で、たとえ党の最高幹部である習仲勲の頼みでも、その種の忖度を一切しない人でした。なんと河北省の全体会議の場で、習仲勲からの電話の一件を暴露し、「習仲勲から息子をよろしくと頼まれたが、私はそういうえこひいきをしない」と言ったこともあるそうです。習近平としては、ものすごく恥ずかしく、悔しい思いをしたことでしょう。

地方官僚時代の習近平は「自信のない、気弱なところのある」印象の人物だったそうです。

これは習近平が福建省の省長だった頃に交流のあったある日中関係者から聞いた話なのですが、習近平が浙江省の書記に内定したとき、その人が「ご出世ですね、おめでとうございます」とお祝いを述べたら、「あまりおめでたくないですね。ひょっとすると私はこれで終わりかもしれません」と、心細そうに答えたといいます。

当時習近平を浙江省の書記に強く推した人物は、江沢民の側近で曾慶紅という政界のフィクサーともいうべき政治家でした。習近平は自分が中央政界の権力闘争のコマに使われるのだと脅えていたのではないか、とその日中関係者は感じ、「意外に気の弱いところがあるのだな」と思ったそうです。習近平自身、少年時代に文化大革命の波にのまれて下放されるなど、中央の権力闘争の恐ろしさに触れているので、出世とともに待ち受けている〝リスク〟に敏感だったのかもしれません。

ついでに言うと、少年時代の習近平は〝いじめられっ子〟だったという話もあります。

革命戦争（第二次国共内戦：第二次大戦後、蔣介石《しょうかいせき》率いる国民党の国民革命軍と毛沢東率いる共産党の紅軍との間で繰り広げられた内戦）の時代、中国共産党幹部の子供たちは一カ所にまとまって暮らしており、兄弟同然の間柄でした。

習近平の場合、「建国八大元老」のひとりである薄一波《はくいっぱ》の息子・薄熙来《はくきらい》が兄貴分でした。しかし、薄熙来は父親に似てけっこう性格が悪く、習近平を子分扱いし、いじめていたそうです。

ちなみに、薄熙来は大人になっても性格が悪いままでしたが、ハンサムで頭が良く、自信家でもありました。そのため、昔さんざん馬鹿にして子分扱いしていた習近平が急に出世し、最高指導者に抜擢されたことに嫉妬《しっと》してクーデターを計画したことがあります。

それが2012年春に起きた、通称「薄熙来事件」です。

詳しくは後述しますが、そのクーデターは未然にばれてしまい、薄熙来は現在、表向きは汚職の罪で服役しました。今は出所していますが、音沙汰はありません。

薄熙来

習近平は「小学生レベル」!?

「習近平は無能だ、頭が悪い」と言っている（あるいは思っている）人は、実はすごくたくさんいます。

私の知るかぎり、改革派、開明派と呼ばれる知識人や官僚はもちろん、保守派、左派の重鎮たちからも、その能力は低く評価されています。彼を誉めちぎるのは、ヒラメ官僚（自分の出世と保身だけに気を使っている、習近平の限られた取り巻き連中）だけという印象です。

「習近平は頭が悪い」と公言した有名な人物に、２０１９年2月16日に１０１歳で死去した元毛沢東の秘書・李鋭《りえい》がいます。

李鋭

李鋭は１９５７～58年に毛沢東の秘書をしていましたが、大躍進を批判した彭徳懐《ほうとくかい》の失脚に連座するかたちで黒龍江省の農場送りになり、文化大革命のときには反革命罪で投獄されました。その後、名誉を回復したのですが、一貫して「憲政民主が中国の未来を切り開く道」だと主張し、天安門事件の際も、民主化を求める学生の武力鎮圧に最後まで反対し続けていました。まさに「中国共産党の良心」とでもいうべき長老です。

そんな李鋭が亡くなる前年の2018年4月13日に米政府系メディア、ボイス・オブ・アメリカ（VOA）のインタビューを病院のベッドの上で受けています。その際、浙江省書記時代の習近平に会ったときのエピソードを語り、「習近平は小学生レベル」と厳しい評価を下していました。

李鋭はインタビューでこう語っています。

「私と習近平が最後に直接会ったのは、彼が浙江省の書記のときでね。それまで彼の文化レベルがあんなに低いとは思わなかったよ。彼は私を食事に招待してくれたので、私と妻と習近平の秘書と習近平の4人で食事をした。彼は習仲勳の息子だろ。だから、気兼ねなしに、アドバイスしたんだ。そのとき（の反応で）彼がとってもレベルが低いんだと気づいた。小学生レベルだ。席を立つときに、彼は私にこう言った。『あなたは今、聞き捨てならないことを言いましたね。僕がどうしてあえてそんなことをすると思うのですか？』。もちろん、私は彼を見下して言ったわけではない。彼は（親友の）習仲勳の息子だからね。……ああ、うまく言えないなあ。あいつはいったい今ごろどんなふうになっているやら……」

李鋭は、毛沢東から習近平まで、さまざまな国家指導者と直接会ったことのある人物です。

しかも、習近平の父・習仲勲とは大親友でした。

病床でチューブにつながれた状態でのインタビューですから、本当に死の直前に、親友の息子が周りの忠告も聞かずに暴走していく様子を心配しているようでもありました。

本当にこのインタビューの通り、習近平が李鋭のような良心的知識人・大長老の直言に子供っぽく言い返したのだとしたら、非常に傲岸不遜《ごうがんふそん》で、自信過剰な印象を受けます。

しかし、それは単なる〝虚勢〟であり、彼がもつ学歴コンプレックスや、誰からも尊敬されていた優れた父親と比較されるコンプレックスからくる〝自信のなさの裏返し〟なのでしょう。

習近平は先代の総書記・国家主席である胡錦濤について、「〝茶葉売りの息子〟が中国共産党の最高指導者になるのはおかしい」と言ったことがあるそうです。胡錦濤の父親は茶葉の行商人でした。「革命によって国をつくった中国共産党の指導者は革命家の子孫でないといけない」というのが習近平の主張です。「太子党」にして「紅二代」である習近平らしい発想だと思います。

習近平本人が誇りに思えるのは、〝建国の英雄のひとりである習仲勲の息子〟という一点しかないのかもしれません。

習近平政権は長老たちの〝妥協の産物〟

「無能」で「小学生レベル」の習近平が現在の「皇帝」の地位にまでのぼりつめることができたのは、建国の英雄である父の〝七光り〟の恩恵もさることながら、長老たちの権力闘争がもたらした〝棚ぼた的な幸運〟のおかげでもありました。

中国共産党内の権力闘争は、政治局常務委員という最高指導部メンバーや最高指導部を経験して引退した長老が、それぞれ派閥をつくり、利権やイデオロギー、政策路線で対立し、人事権を握ろうとする過程で繰り広げられていきます。

近年の派閥の状況を見ると、①鄧小平が後継者に指名した上海市党委書記出身の江沢民が利権ネットワークを基礎につくり出した「上海閥（江沢民派）」、②共産党の若手エリート育成機関・共産主義青年団（共青団）出身者の胡錦濤を中心とした官僚主義的政治家グループ「団派（胡錦濤派）」、③中国建国初期の政治家や官僚の子弟子女、いわゆる二世議員にあたる「太子党」、

④習近平が自分に忠実な官僚や政治家を集めた「陝西閥（あるいは習近平派）」という、主に4派が絡みあっています。

ただし、これはそれほど厳密な分類ではありません。

そもそも太子党は派閥というより、血統集団の総称です。太子党の中にも上海閥や団派や陝西閥があります。習近平は前述の通り典型的な太子党（しかも紅二代）なのですが、江沢民に抜擢されたという点では上海閥であり、いわずもがな陝西閥のトップです。

ちなみに、このほかにも、利権ごとに石油閥、電信閥、水利閥、レアアース閥といった派閥があり、また山西閥、四川閥、江蘇閥、遼寧閥といった地縁の派閥もあります。

江沢民

習近平政権は、ひと言でいえば、胡錦濤と江沢民が激しい権力闘争を繰り広げていたなかでの〝双方の妥協の産物〟でした。

習近平の先代として国家指導者の座にいた胡錦濤は、自分が共産主義青年団という官僚養成組織の出身なので、その後輩のなかでも極めて優秀な李克強を総書記にしたいと思っていました。一方、江沢民はそれを妨害して自分の派閥（上海閥）の人間を総書記にしたかったのです。

ところが両者の激しい権力闘争の結果、当時上海閥の一番のエースだった陳良宇《ちんりょうう》が胡錦濤によって失脚させられてしまいます。胡錦濤が大事に育てていた団派のホープ李克強も、足を引っ張られて総書記になれませんでした。

その結果、さほど優秀ではないけれど、「建国八大元老の習仲勲の息子」という血統ブランドをもつ、「凡庸」で「小心者」の習近平が生き残ったわけです。

つまり、習近平が国家指導者に選ばれたのは、江沢民とその腹心で太子党のボスである曾慶紅の長老政治に都合のよい人物だったからです。

同時に、胡錦濤の一派から見ても「あの習仲勲の息子だから、それなりに話が通じるかもしれない」とみられていたのでしょう。

いずれにせよ、江沢民と胡錦濤の双方が「習近平は政治家として自分たちより〝小物〟だから、どうにでもコントロールできる」と考え、習近平政権を誕生させたわけです。

稀代の天才政治家・鄧小平の深謀遠慮

ご存じの通り、中国の国家指導者の座は「毛沢東→鄧小平→江沢民→胡錦濤→習近平」と受け継がれてきました。

習近平が江沢民の抜擢によって総書記・国家主席になれたように、先代の胡錦濤も江沢民も、党と国家の指導者になれたのは鄧小平のおかげです。２人とも、鄧小平がまだ権力の頂点にいた頃に後継者に指名されています。

鄧小平

何度も権力闘争で敗れては復活し、いわゆる改革開放路線で今日の中国共産党体制の基礎を築いた鄧小平は「稀代《きたい》の天才政治家」と言っても過言ではない人物です。

文化大革命や天安門事件を通じて、中国共産党体制そのものを転覆させかねないような激しい権力闘争を経験してきた彼は、国家を疲弊させるような内紛を二度と起こさないために、あえて「凡庸」な江沢民に総書記と国家主席と中央軍事委員会のトップの座を与え、権力を集中させることにしました。

そして、江沢民政権以降も後継者争いが起きないよう、「江沢民の次は胡錦濤が指導者になるように」と指示するなど、自分の死後のことまで決めていたのです。

江沢民は実の父親が戦前日本の傀儡政権だった汪兆銘《おうちょうめい》政府のスパイで、育ての父親が中国共産党革命烈士という複雑な血統の凡才児でした。一方、胡錦濤は、茶葉の行商売りの息子で、勉強だけが取り柄の真面目な秀才です。しかし、彼らのような小粒な人間では、ひとりですべての責任を負うような決断はできません。

そこで鄧小平は、「集団指導体制」という〝小粒でもそれなりに優秀な人間が7～11人ぐらいで役割・責任を分担して国家運営を行うシステム〟をつくり上げました。

この集団指導体制の最高指導部が「政治局常務委員会」です。

政治局常務委員会に入れば、「刑不上常委」という〝暗黙の不逮捕特権〟が与えられました。

これには政治局常務委員の最高指導部内でお互いを失脚させるような権力闘争を防ぐ狙いがあります。権力闘争は相手に罪(反革命罪や汚職罪など)をかぶせて失脚させるのが常套《じょうとう》手段だったからです。

もちろん、これで党内の権力闘争が完全になくなったわけではありません。

たとえば5年ごとに開催される党大会（中国共産党全国代表大会）では政治局常務委員会（最高指導部）メンバーの入れ替えが行われるのですが、そのメンバーに誰を入れるか、序列をどうつけるか、という派閥争いのような権力闘争はずっと行われてきました。

しかし、鄧小平が集団指導体制をつくったことにより、「政治局常務委員会に入れば、みんなで権力と責任を分担して協力し合う」という〝暗黙の了解〟が一応できたわけです。

舐められていた習近平の〝逆襲〟

こうして鄧小平により、党内で適度な権力闘争はあるけれども、殺し合うような激しい内紛を避けて、なおかつ個人独裁を防ぎ、1期5年・2期10年のペースでの権力の禅譲をスムーズに安定して行える体制がつくり上げられました。

その鄧小平が後継者として直接指名したのは、胡錦濤までです。

胡錦濤の次の指導者は、江沢民派と胡錦濤派が派閥争いをした結果、双方の派閥の〝妥協の産物〟として習近平が序列一位の総書記に選びだされました。

つまり、習近平は改革開放以降、〝鄧小平チルドレン〟ではない最初の指導者なのです。

それは、〝小粒な凡才〟が指導者になるうえでこれまで必要であった〝鄧小平のお墨付き〟のない指導者だともいえます。

そのため、習近平は最初からちょっと〝舐《な》められ気味〟でした。

江沢民や曾慶紅、あるいは解放軍の長老である江沢民派の徐才厚《じょさいこう》などは当初、総書記となった習近平の〝後見人〟を引き受けて政治に口を出す気満々だったのです。

また、かつての習近平の〝兄貴分〟で〝いじめっ子〟の薄熙来のように、自意識の高い「紅二代」の政治家が、習近平に取って代わりたい（自分のほうが最高指導者にふさわしい）、とその地位を狙うようになりました。

徐才厚

では、そんな環境に置かれた〝コンプレックスが強く、プライドだけが高い小心者〟は、果たしてどういう行動に出るでしょうか。
結論からいうと、習近平は、自分を見下して利用しようとしたり、権力を奪おうとしたりする官僚政治家をとことん排除しようとします。

そして、鄧小平がつくり上げた「集団指導体制」を破壊し、自分ひとりがすべての権力を掌握できる、毛沢東時代さながらの「個人独裁体制」に共産党の体制をつくり変えようとしました。

その過程で打ち出されたのが「虎もハエも叩く」というスローガンを掲げた〝反腐敗キャンペーン〟であり、習近平に対する個人崇拝であり、「改毛超鄧」（毛沢東路線を改良し鄧小平路線を超える）と呼ばれる習近平路線だったわけです。

習近平は2012年秋に〝棚ぼた〟で総書記になったのち、反腐敗キャンペーンで元政治局常務委員の周永康《しゅうえいこう》をはじめとする江沢民派の大物政治家を次々と失脚させました。

令計画 ©ロイター／アフロ

また、胡錦濤の側近の令計画《れいけいかく》ら団派（共産主義青年団＝共青団派）の優秀な官僚も排除し、共青団そのものについても「歴史的役割が終わった」といって潰そうとしています。

共青団は中国共産党に優秀な若手政治家を補充するための育成機関であり、毛沢東が迫害した知識階層を中国共産党政治のなかで生かすシステムとして機能してきました。つまり、それは〝毛沢東的皇帝政治〟のためではなく、鄧小平の望んだような〝小粒な秀才が集団で政治を行う官僚政治的集団指導体制〟を維持するためのシステムなのです。

だから、共青団派には鄧小平路線、胡耀邦路線を信望する改革派、開明派政治家が多く、毛沢東的皇帝政治を目指す習近平からは目の敵《かたき》にされるというわけです。

豚でも皇帝になれる国、それが共産党体制下の中国！

江沢民の下で働いたことがあり、習近平のこともよく知っているという元上海市の学者官僚に以前私がインタビューしたとき、彼は習近平のことを「ひと言でいえば〝老好人〟だな」と言っていました。

「老好人」とは、直訳すれば「好人物」ですが、上海人がこの言葉を使うときはあまり良い意味ではありません。「いい意味で言ったのではないよ。〝凡庸な人間〟だということだ」と、彼は外国人の私が誤解しないように補足していました。

江沢民も「凡庸」だといわれてきましたが、その元官僚は「江沢民は自分が凡庸であることを素直に認めている分だけましだ」と言っていました。

実際、江沢民は、凡庸な自分が鄧小平からいきなり後継者に抜擢されたことの不安とおぼつかなさを自身の回顧録で告白しています。

鄧小平は、権力闘争で国家が傾く事態が起こらないよう、凡庸で小粒な人間でも国家指導者になれるシステムをつくり、実際に自分の後継者として「凡庸」な江沢民を指名しました。

しかし、そのシステムを「凡庸」どころか「無能」で「小学生レベル」とまでいわれた習近平が、毛沢東的「皇帝」路線を目指し、独裁体制を強化して〝破壊〟したわけです。

では、今後も習近平は「皇帝」として君臨し続けることはできるのでしょうか。

この問いの〝答え〟として私が思い出すのは、習近平に嫌われて体制内で立場を失ったある著名な学者の言葉です。

彼もまた習近平のことを「無能だ」と一刀両断した人物のひとりなのですが、私が「無能な人間が国家指導者になれますか？」「権力を掌握できますか？」と尋ねると、彼はこう言い切りました

「中国は〝豚〟でも皇帝になれる国だ」

中国共産党の独裁体制は、上部組織が下部組織を指導・支配するトップダウンのヒエラルキー構造になっています。

しかも、三権分立も司法の独立も憲政も完全に否定されています。

習近平が演説で愛用する「党政軍民学、東西南北中、一切を党が指導する」という文革時代のスローガンにもある通り、憲法も司法も宗教も学問も文化も経済も市場も軍隊も、すべて中国共産党が指導・支配することが大前提なのです。誰も中国共産党には逆らえず、中国共産党内部でも、上部組織の決定には下部組織は絶対に従うことになっています。

だからこそ、いったん中国共産党のトップになると、〝豚〟でも〝猿〟でも絶大な権力をふるうことが可能なのです。

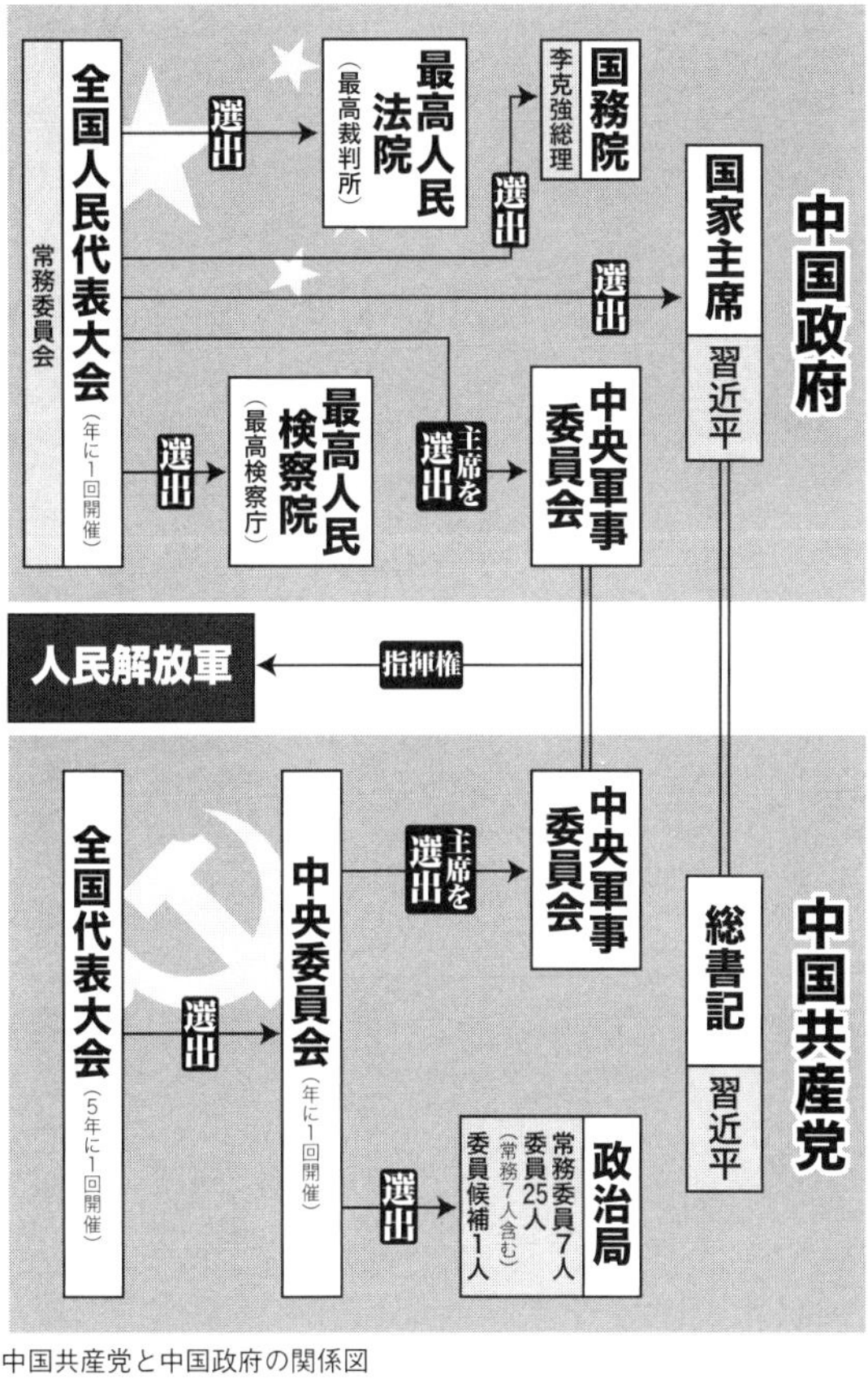

中国共産党と中国政府の関係図

習近平はマザコンでシスコン!?政策を左右する女性たち

習近平という人間を分析するうえで無視できないのが、彼の周りにいる女性たちの存在です。

習近平の妻・彭麗媛《ほうれいえん》は元軍属歌手で、国家的アイドルともいえる〝歌姫〟でした。彼女を学生時代によく知るという女性は、私がインタビューしたときに「彭麗媛は、学生時代は田舎から出てきたばかりのダサい女の子で、私は服をあげたり、いろいろ面倒をみてあげたりした。でも、ものすごく気の強い娘で、上昇志向が強かった。たぶん習近平は強い女性の尻に敷かれるのが好きなタイプなのだ」と話していました。

実際、習近平はマザコンでシスコンだというもっぱらの噂です。母親の齊心には今も何かと相談し、彼女の言うことには逆らえないそうです。

また、姉の齊橋橋《せいきょうきょう》は〝やり手の実業家〟で、国政に忙しい習近平に代わって、習一族の采配を振っています。習

習近平と彭麗媛 ©AP/アフロ

近平はお姉ちゃんっ子で、今も一族の問題については姉に従うのだとか。

妻の彭麗媛は、中国の歴代国家指導者のファースト・レディのなかでもトップクラスの存在感です。習近平の外遊への同行も、妻の立場としてではなく、外交代表団のメンバーとして、ファースト・レディ外交を担う立場で参加しています。

また、習近平の芸能界・映画界・文芸界に対する指導強化政策などは、彭麗媛の意向がかなり色濃く反映されており、歴史的な「悪女」たちと重ねて「中国共産党の西太后《せいたいごう》」「江青《こうせい》（毛沢東の妻。文革を主導して「紅色女皇」と呼ばれた）の再来」などと陰でささやく人もいます。

実際、習近平政権による文化・芸能を通じた政治宣伝活動は、彼女が芸能界を牛耳《ぎゅうじ》るようになってから活発化し、特に習近平の個人崇拝的なコンテンツが目立つようになりました。

毛沢東と江青（1946 年）

たとえば、2016年の春節（旧正月）の大晦日に行われた中国版紅白歌合戦と称される「春節聯歓晩会」などは、もとは庶民の年末の娯楽番組にすぎなかったのに、あからさまな習近平礼賛番組になってしまったのです。

また、有名な革命劇『白毛女』（中国の革命歌劇で共産主義模範作品の一つ。映画化・バレエ化も行われた）が彼女の演出で2015年に3D歌劇として復活上映されると、「紅頭文件（党内部通知文書）」で党幹部たち全員が見るように通達されました。

習近平の娘の習明沢も、相当気が強い女性のようです。ハーバード大を卒業後、帰国してからはパソコン・インターネット音痴の習近平に代わり、インターネット世論誘導などニューメディアの宣伝政策で主導的役割を果たしています。

どうやら習近平政権の政策は、かなり習近平の身内女性の影響を受けているようです。

「リーダーが無能だから」と油断してはいけない！

これまで述べてきた情報をまとめると、習近平は、もともと気弱で自信がなく、凡庸で能力が低いと評価されがちな、〝いじめられっ子〟体質の人間です。

その一方で、〝親の七光り〟のおかげで出世が早く、周りにチヤホヤしてくれる人間も多かったので、自己評価が妙に高い自信過剰な一面もあるが、苦言を呈したり、厳しいアドバイスをしたりする人に対しては反発し、傲岸不遜な態度をとりがち。コンプレックスが強いのにプライドが高い。

しかもマザコンでシスコン、妻にも尻にしかれ、周りの女たちの意見も政治にもち込んでしまう、というとても〝残念〟なキャラクターになります。

さんざんな言いようになりましたが、別に私は中国の脅威にさらされ続けている日本人に「こんなに〝残念〟な人間がリーダーだから大丈夫だ」と安心したり、油断したりしてほしいわけではありません。

むしろ、これらの〝事実〟をしっかりと認識したうえで、今後の習近平政権の動きを冷静に分析・判断してほしいのです。

くれぐれもここでまとめた習近平の人物像を単なる「ディス」や「ヘイト」としてとらえないようにしてください。

習近平が本当に「無能なリーダー」なのかどうかは、最終的には〝歴史〟が判断することです。

しかし、彼が共産党内部の人間を含む多くの人々から「無能」と評価されていること、そして、それが本人の耳にも届いていることは、れっきとした〝事実〟です。

また、彼に学歴に見合った学力がないこと、ナンバー2の団派の李克強に頭脳ではまったく敵わないこと、〝親の七光り〟でスピード出世したこと、棚ぼた的に最高指導者になったことなども〝事実〟です。

客観的に確認できるこれらの〝事実〟を踏まえれば、習近平が胡錦濤から政権を禅譲されてからの行動――自身への権力集中と個人崇拝路線、そして反腐敗キャンペーンを建前とした激しい権力闘争による〝有能な人間の蹴落とし〟などの行動も、腑《ふ》に落ちるのではないでしょうか。世界中の多くの人々が理解に苦しむような習近平政権の政策も、習近平という〝人間〟から紐解いていけば理解できることも多々あります。

今後、習近平政権が「なぜそんなことを?」と思うような行動に出たら、ここで述べたような彼のバックボーンや人物像、周囲の女性の存在、中国共産党の内部事情、派閥争いの歴史と構図などを思い出して、過小・過大に評価することなく、冷静にその意図や意味を考えてみてください。

毛沢東に憧れ、アメリカを怒らせた習近平

習近平という人間の個人的な資質・能力に由来する問題は、中国の外交上の失敗にも現れています。

かつて鄧小平は「外国に学べ」というスローガンを唱え、改革開放経済を進めた国際強調路線を打ち出してきました。これは「韜光養晦《とうこうようかい》（光を韜《つつ》み、養い、晦《かく》す＝能力や才能を隠して力を蓄える）」、すなわち、いつか大国として復活しようという野心を隠して、実力が不足している時代は、国際社会のスタンダードに自ら沿う姿勢をアピールし、外国から吸収できることはできるだけ吸収していく、という戦略でした。

その結果、アメリカや日本の資本・技術を国内に呼び込んで中国の高度経済成長時代を実現し、中国を「世界の工場」に成長させて、メイド・イン・チャイナが世界市場を席捲《せっけん》するまでになりました。

こうして中国が豊かになると、今度は巨大市場としての価値が高まり、世界から新たな消費市場のフロンティアとして垂涎《すいぜん》の的《まと》になりました。

続く江沢民・胡錦濤政権の外交政策も、基本的に鄧小平の路線を受け継いでいます。

しかし、習近平は、こうした「野心を隠して外国に学ぶ姿勢」「国際スタンダードに中国が自ら沿う姿勢」を重視する鄧小平的多極外交路線から、「中華民族の偉大なる復興」という野心を高らかに掲げ、国際社会が中国のスタンダードや秩序に合わせていくべきだという、中華思想的な大国外交路線、毛沢東的対外強硬路線にシフトチェンジしていきます。

バラク・オバマ

２０１３年には当時アメリカのオバマ政権に対しても、「中国を米国と並ぶ大国として扱え」といわんばかりに、米中の対等な関係を認め合って利益の最大化を目指す「米中新型大国関係」を提案しました。また、南シナ海での海洋進出も積極的に展開し、ハーグの国際法廷（常設仲裁裁判所）で違法行為だという判決が出ても、「そんなものは紙切れだ」と完全に無視しました。

これはちょうどアメリカのオバマ政権がレームダックを迎え始め、EUの矛盾やほころびも顕在化してきたのに比して、中国は五輪（２００８年の北京オリンピック）を経験し、リーマン・ショックを切り抜け、国際社会で評価が高まってきたため、国家として自信をもってきたことも関係しているのでしょう。

当時の国際社会は中国をグローバル経済の牽引国と認め、中国が〝責任ある大国〟に成長してくれることを期待していました。しかし、中国は成長するとともに西側の普遍的価値（民主、法治、憲政、基本的人権など）を完全否定するようになり、「中華秩序・中華的価値を受け入れよ」と傲慢な主張を繰り返すようになります。

そのような中国の態度が西側諸国に受け入れられるはずがありません。

結果的に習近平政権は、あれほど親中的だったオバマ政権を怒らせ、アメリカを対中強硬政策の方向に転じさせました。

習近平は文革期に思春期を過ごし、ろくに勉強もせず、毛沢東の政治のやり方、権力闘争のやり方ばかりを脳裏に刻み付けてきたことから「文革脳」と呼ばれています。若い時代に海外に留学した経験もないため、国際情勢を読み違えたのでしょう。

習近平政権以前の中国は、アメリカとちょっと関係が悪くなると日本と関係を良くするようにし、日本に対して強硬に出るときにはアメリカとの関係を融和するという具合にバランスをとってきました。そうすることで日米両国ともに対し、少なくとも経済関係は良好な状態を維持するという合理的な多極外交を行ってきたわけです。

しかし、習近平体制になってからの中国は、習近平の自信過剰・傲岸不遜な人柄がそのまま反映されているかのように、周辺諸国すべてに対して傲岸不遜で、攻撃的な姿勢になりました。

アメリカでトランプ政権が誕生後、米中冷戦構造に向けた西側世界の対中包囲網が形成されるようになったのも、この延長線上の出来事なのです。

習近平が恐れるクーデターの噂

習近平を突き動かしている原動力のひとつに〝恐怖〟があります。

習近平は〝自分の立場を危うくするもの〟を恐れています。

クーデターを恐れ、宗教を恐れ、人民を恐れているのです。

習近平は、鄧小平がつくり上げた中国共産党の集団指導体制（指導者が動乱を利用して血生臭い権力闘争をせずとも安定的に中国共産党指導者の更新ができるシステム）を破壊し、毛沢東のような独裁者になりたがっている危険な指導者である——中国共産党内の右派も左派も、そのことに気づき始めました。

鄧小平路線の信望者たち、すなわち改革派・自由派・民主派の党内知識人は、習近平を嫌い、彼のやり方はまずいと考えています。鄧小平システム（集団指導体制）が破壊されるということは、文化大革命や天安門事件のような動乱を利用した血生臭い権力闘争が再び起こるかもしれないからです。

一方、共産党原理主義的な理想を掲げ社会主義体制維持を重視する保守派（旧左派）も、習近平を危険視するようになりました。

習近平は毛沢東のようになろうとしているけれど、毛沢東信者からすれば、習近平に毛沢東の後継を名乗れるような能力やカリスマ性はひとかけらもありません。

それどころか、中国共産党の規約にある「個人崇拝の禁止」を堂々と侵している習近平に社会主義国家指導者としての資質を疑う人も多いのです。

習近平の経済政策の路線は、中国共産党の支配強化による反資本主義路線のようにみえて、実は権威資本主義・帝国主義です。西側帝国主義と戦ってきたことを誇りに思う真面目な社会主義者からするとそれが許せません。そのため、一部では「なんとか習近平を権力の座から引きずり下ろせないか」と願う空気が体制内にも広がっていきました。それを受けて、「クーデターが起きる」という噂も流れるようになったのです。

習近平少年をいじめていた〝兄貴分〟のクーデター計画

実際、クーデター未遂はこれまで何度かあったといわれています。

たとえば、先にも少し触れましたが、2012年春に起きた重慶市の書記の薄熙来の失脚事件、通称「薄熙来事件」です。

厳密にいえば、当時はまだ胡錦濤政権でしたが、習近平が総書記、国家主席になることは決定していました。

この事件の背後には、薄熙来のクーデター計画があります。

薄熙来は重慶市で「打黒唱紅」と呼ばれる大衆運動を起こし、巧妙なマスコミ操作で「優秀な地方指導者・薄熙来」をアピールすることに成功していました。

薄熙来といえば、前述の通り習近平の少年時代の〝兄貴分〟であり、習近平少年をいじめていた〝いじめっ子〟です。

薄熙来は、自分より出来の悪い凡庸な習近平が国家指導者になれるのであれば、自分がなってもおかしくないと考えていました。そのため、当時序列9位で公安警察権力のトップにいた政治局常務委員・周永康と通じ、時が満ちれば成都軍区や雲南軍区の軍事力を動かして、２０１７年までに習近平に自ら総書記退任を迫って権力の座を奪うつもりでいたといいます。

クーデター計画は周到に準備が進められていました。しかし、薄熙来の側近だった重慶市公安局長・王立軍が薄熙来と仲違《なかたが》いして、成都のアメリカ領事館に逃げ込んだことから、中央政府の知るところとなってしまったのです。

周永康

これに驚いた時の胡錦濤政権は習近平と協力して、薄熙来を失脚させました。

薄熙来の失脚が確定したあと、周永康は一か八かのクーデターを起こそうとしたといわれています。それが２０１２年３月19日に起きた「３・19事件」だといわれていますが、この事件の真相はいまだ謎に包まれています。とにかくその夜、北京の公安部総部大楼（公安部庁舎）周辺では大量の武装警察や軍の装甲車などが目撃され、発砲音を聞いたという証言が飛び交い、何かが起きたと推測されていますが、詳細はいまだわかっていません。

反腐敗キャンペーンで習近平が買った〝恨み〟

習近平は同年の秋に、無事に政権を受け継いだのですが、その後、他人が信じられなくなりました。

クーデター未遂を起こしたといわれる周永康は、江沢民や曾慶紅の人脈に連なる上海閥の重鎮です。つまり、自分を総書記に押し上げたのは江沢民や曾慶紅なのに、その子分が自分を失脚させようとしていたわけです。

また、一部の軍隊や公安、党の要人警護を担当する中央警衛局のメンバーもクーデター未遂事件に関係していたという説もあります。

そのため、習近平は権力をもった途端、自分より力をもっている人間や、怪しいと思われる人間、能力のある人間、自分に苦言や意見を言う人間を次々と失脚させていきました。それが「虎もハエも叩く」というスローガンを掲げて行われた反腐敗キャンペーンです。

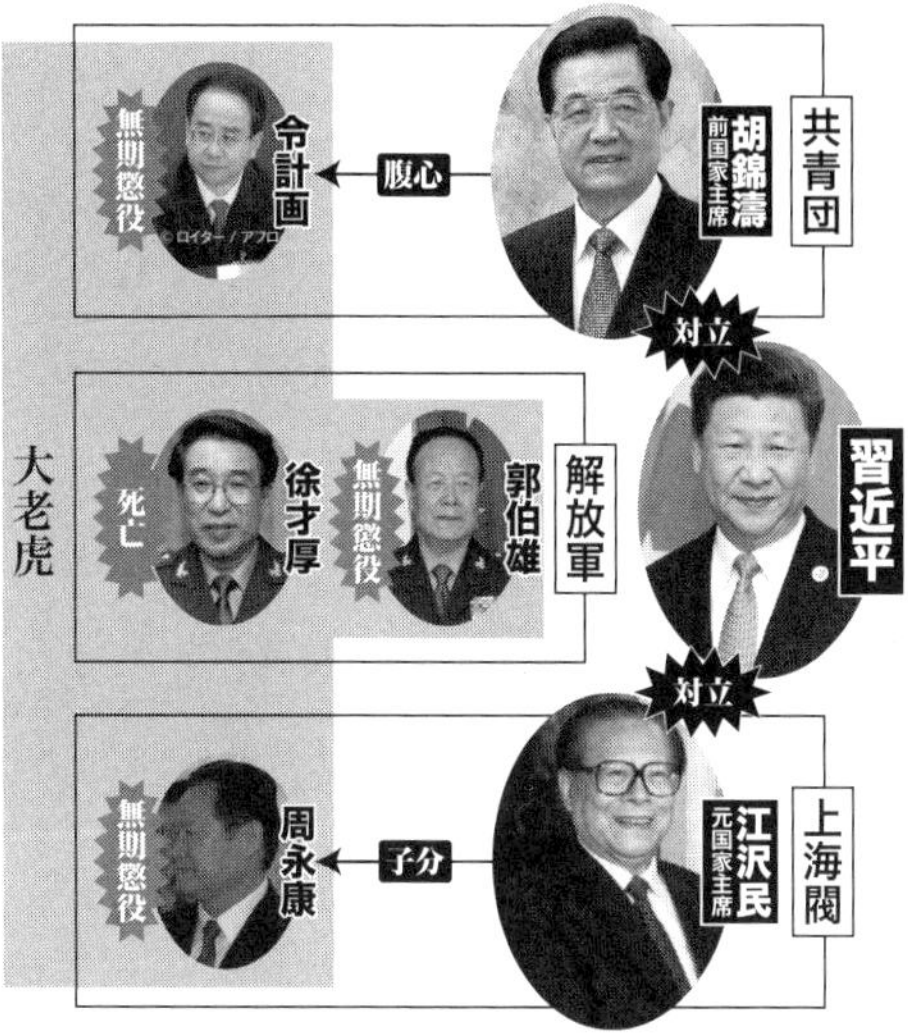

反腐敗キャンペーン相関図

鄧小平システムでは〝暗黙の不逮捕特権〟があったはずの元政治局常務委員・周永康、中央軍事員会制服組のトップを務めた軍長老の徐才厚と郭伯雄《かくはくゆう》、胡錦濤の側近の令計画……。そして、こうした大物の「虎」を退治すると同時に、「ハエ」と呼ばれる大量の地方官僚政治家も汚職や規律違反で次々と失脚させていきます。１期目の５年で約153人の官僚が処分されました。

これは改革開放以来の大党内粛清と言っても過言ではないと思います。

これだけ多くの人間を粛正すると、当然

相当の〝恨み〟を買うことになります。習近平が権力のトップの座にいる間はまだいいとして、権力を失うと〝仕返し〟をされてしまう恐れがあるわけです。

なので、習近平は毛沢東のように自分が死ぬまで権力を掌握する方法をいろいろ考え出します。２０１７年秋の第19期党大会では、党規約を変えて、自分が毛沢東に匹敵する指導者であることを主張するために、「習近平新時代の中国の特色ある社会主義思想」を指導思想として書き入れました。

また、２０１８年春の全人代では憲法改正を強引に行い、連続２期を越えてはいけないと規定されていた国家主席任期を撤廃。自分自身が永続的に権力の座を維持できるような道を模索し始めました。

しかし、ここまでくると、党内のほとんどの人間が習近平に対して反感をもつようになります。習近平政権の政策は、外交も経済もことごとくうまくいっていません。にもかかわらず、見ていて恥ずかしくなるほど習近平の個人崇拝路線を打ち出しています。

習近平が文革時代に下放されていた陝西省北部の村・梁家河は「聖地」とされ、「梁家河大学問」という習近平の下放経験に学ぶキャンペーンが打たれ、下放中の習近平を主人公にしたドキュメンタリーラジオドラマ（連続12回）なども放送されました。

さらに、習近平礼賛ソングや習近平アニメなどがネット動画に流され、若者の間で習近平ブームをつくろうという宣伝工作も仕掛けられました。

2019年に入ると、習近平の思想を学ぶスマートフォン用アプリ「学習強国」がリリースされ、全党員にダウンロードが強制されています。

長老たちが「習近平おろし」の宮廷クーデターを計画していた？

このまま習近平路線、つまり「改毛超鄧」の反改革開放路線、権威資本主義路線のまま進んでいいのか、国際社会との対抗路線でいいのか、党規約に堂々と反するような個人崇拝路線をそのままにしていいのか――党中央や長老の間でも習近平のやり方に異論を唱える人が増え、2018年8月の北戴河《ほくたいが》会議（中国共産党の現役幹部、長老が避暑地の北戴河に集まって行う非公式会議。秋の中央委員総会に向けた地ならしといわれる）を目前にひかえた7月初旬ごろから、〝習近平おろし〟の空気が急に高まっていきました。

あとでわかったことですが、この頃江沢民、胡錦濤、朱鎔基《しゅようき》、温家宝《おんかほう》ら長老たちが連名で党中央に経済、外交政策の見直しを求め、個人崇拝の行き過ぎを改めるように要請する書簡を出したということです。

ようするに、習近平への〝ダメ出し〟です。

また、当時長老たちは「政治局拡大会議を招集してこの問題を話し合うべきだ」とも主張していたようです。

彼らがこういう行動に出たのは「宮廷クーデター」を狙ってのことだともいわれています。というのも、政治局拡大会議は、政治局委員の25名と影響力をもつ長老連たちや閣僚級の幹部らせいぜい50~70人の規模で開かれます。その程度の人数だと〝根回し〟もしやすいため、みんなで一斉に習近平を批判して辞任や失脚に追い込むことも十分に可能なわけです。もちろん中央委員会総会でもこうしたクーデターは起こりえますが、中央委員は200人以上いますから、根回しするのはちょっと大変です。

実際、胡耀邦《こようほう》は1987年1月16日の政治局拡大会議で総書記を辞任させられていますし、

胡耀邦

毛沢東から後継指名をうけて党主席となった華国鋒《かこくほう》は１９７８年12月の第11期三中全会（３回目の中央委員会総会）で、鄧小平が主導した批判の集中砲火にあい、実権を失いました。習近平も党中央委員全員から批判されれば、おそらく実権や影響力を失うことになります。

結果からいえば、習近平が現在も国家指導者の地位にいることからもわかるように、彼は当時の宮廷クーデターの危機をなんとかしのぎました。ただその代わりに、個人崇拝路線を控えること、経済を改革開放路線に戻すこと、政治運営を集団指導体制に戻すことなどの面で妥協する姿勢を見せたともいわれています。

一方、長老側からしても現実に宮廷クーデターを起こすとなるとそれなりにリスクを負うことになるのでなかなか難しかったのでしょう。

また、当時は反腐敗キャンペーンによる大粛清のせいで、党中央にも優秀で気骨のある官僚や政治家がほとんど残っておらず、「習近平おろし」の行動を起こすパワーが足りていなかったともいわれています。

いずれにせよ、習近平政権はこのように習近平独裁路線と鄧小平システムとの矛盾や、大粛清の〝恨み〟による構造的な政変リスクを抱えているので、私たち日本人が思っているほど盤石ではないといえるでしょう。

軍事クーデターの可能性は無視できないレベル!?

習近平は宮廷クーデターだけでなく軍事クーデターも恐れています。むしろそちらのほうが可能性は高いともいわれています。

確かに習近平政権の誕生以降、軍が関与したクーデター未遂といわれるものが何度か噂になったことがあります。前述の薄熙来・周永康のクーデター未遂事件も軍事クーデターの色合いがありますし、2014年3月1日、徐才厚の失脚直前に瀋陽軍区で彼の腹心の部下が800人の兵士とともにクーデターを起こし、失敗したともいわれています。

2017年8月には突然、人民解放軍の総参謀長・房峰輝《ぼうほうき》と政治工作部主任・張陽が表向きは汚職の疑いで拘束されましたが、当時からクーデター未遂ではないかとささやかれていまし

郭伯雄（右）

房峰輝

た。ちなみに、この2人は「胡錦濤の愛将」と呼ばれた団派の軍首脳でしたが、習近平の軍制改革で職位を格下げされています。

もちろん、軍事クーデター未遂など単なる噂にすぎず、そんな事実はないと主張する意見も多々あります。

しかし、そもそも習近平自身があまり軍を信用していないので軍事クーデターを警戒していることは事実だと思います。習近平が権力のトップの座についてからの人民解放軍にしてきたひどい仕打ちの数々を振り返れば、そう考えざるをえません。

前述の通り、2015年には軍長老の徐才厚・郭伯雄を逮捕していますが、元総政治部主任の徐才厚は、習近平の妻・彭麗媛の直接の上司でもあった人物です。彭麗媛が主催するホームパーティでは必ず一番上座に座り、習近平も出世する前は、父親に対するような態度で仕えていたといわれています。

習近平という人間は、そういう相手であっても容赦なく失脚させてきたわけです。

ちなみに、徐才厚は末期がんで闘病中の病床で逮捕されました。彼は起訴される前の2015年3月に死亡しています。

一方、郭伯雄は逮捕後、2016年7月に無期懲役の判決を受けて服役中です。汚職が表向きの罪状ですが、習近平はこの2人が軍に影響力をもっていては、自分が軍権を掌握できないと考えたのでパージしたのだとみられています。

このように軍幹部の粛清を始めると、どんどん粛清しなければならない人間が出てくるわけです。

なぜなら、軍隊のような結束力の高い組織では、粛正した1人の軍幹部の下に何十人もの派閥やシンパが存在します。ということは、彼らも合わせて粛清しないと、仕返しされてしまうかもしれないのです。

こうして気がつけば習近平政権の最初の任期の5年だけで、184人もの軍幹部が汚職で取り調べを受けて起訴され、判決を受けました。そのうち少将以上は78人にものぼります。

陸軍の軍人が海軍上将に⁉ 習近平政権のありえない〝お友達人事〟

粛清されて空席となった軍の重要ポストに誰が就くのかというと、習近平にゴマをする軍人が上がってきます。

たとえば海軍政治委員に急出世したのち政治工作部主任となった苗華《びょうか》上将はずっと陸軍にいたのですが２０１４年に突然海軍上将になり、２０１７年秋に政治工作部主任になりました。

陸軍の軍人が海軍上将になるなど、他の国ではありえないことです。実績の有無に関係なく、習近平個人の〝お友達人事〟だからこそこんなヘンな事態になるのです。

こういうことを続けていると、軍人たちも人間ですから、表面上は〝習近平礼賛〟をつくろっていても、心のなかでは馬鹿にするようになってしまいます。

そもそも習近平は戦争実践経験がゼロ。２０１５年９月３日の抗日戦争・世界反ファシズム戦争勝利70周年記念の大軍事パレードでは左手で敬礼してしまうような人物です。革命戦争を経験した毛沢東や鄧小平のように、軍人から敬意を受けることなど、土台無理な話でしょう。

江沢民も胡錦濤も戦争未経験者なので、実際のところ軍人からの敬意を受けられてはいなかったと思います。しかし、江沢民政権は軍人たちに経済利権を与えたので、解放軍は江沢民政権に対しては比較的協力的でした。

一方、習近平は「戦争ができる、戦争に勝てる一流の軍隊をつくる」という建前で、江沢民が軍人たちに与えた経済的利権を取り上げました。

敬礼ひとつまともにできない指導者が、偉そうにコマンダー・イン・チーフ（最高指揮官）を名乗る、軍の利権は奪われる、粛清の恐怖は増大する、実績のない習近平の飼い犬軍人ばかりが出世する――これでは軍人たちの不満が募るのも無理はないでしょう。

このように習近平政権誕生後、軍人たちの募らせてきた不満のことを考えると、習近平が軍事クーデターを恐れるのも、当然といえば当然の話なのです。

宗教の「中国化」という異常

クーデターと同様、宗教もまた習近平が恐れているもののひとつです。

第2章でみてきたウイグル人へのひどい扱いからもわかるように、習近平の宗教政策は歴代中国共産党指導者のなかでも最悪であり、その異常性は習近平の数ある政策のなかでも突出していると思います。

2018年4月、中国は1997年以来2冊目となる宗教白書「中国の宗教信仰の自由を保障する政策と実践白書」を発表し、習近平政権における宗教政策の方向性を強く打ち出しました。

そのキーワードは「宗教の中国化」です。

白書によれば、中国はすでに5大宗教（仏教・キリスト教・イスラム教・ユダヤ教・ヒンドゥ教）の人口が2億人を超える宗教大国となったので、それに伴って中国共産党による宗教管理の強化が必要だと訴えていました。

なお、この2億という数字は、あくまでも中国共産党が認めた宗教者数です。

中国には中国共産党が公認する宗教と〝非公認の宗教〟があり、非公認の宗教は「邪教」として排除・迫害の対象となっています。実際の宗教人口は、おそらく中国の公式発表の倍以上、キリスト教だけでも1億人、仏教徒は3億人前後いるといわれています。

この膨大な宗教人口を管理するために、国家宗教事務局は2018年4月から党中央統一戦線部傘下に組み入れられることになり、党中央が宗教工作を直接指導するかたちになりました。

元国家宗教事務局副局長の陳宗栄はこの機構改革について「我が国の宗教の中国化方向を堅持し、統一戦線と宗教資源のパワーを統率して宗教と社会主義社会が相互に適応するように積極的に指導することを党の宗教基本工作方針として全面的に貫徹する」と説明しています。

党中央統一戦線部とは、中国共産党と非中国共産党員との連携、チベットや台湾に対する反党勢力への工作を含めた祖国統一工作を担う部署です。宗教事務を祖国統一工作と一本化するということは、台湾統一問題とキリスト教、チベット問題とチベット仏教、ウイグル問題とイスラム教をセットで考えるということになります。

つまり、それぞれ宗教へのコントロール強化によって、その信者たちの思想を祖国統一へのパワーに結びつけるのが中国共産党の任務、ということです。

中国共産党がこのように完全に宗教を管理しコントロールしようと考えるのは、それだけ宗教を恐れているからにほかなりません。

つまり、宗教をきっちりコントロールできなければ、中国は〝祖国分裂〟の危機に瀕する、ということです。

中国の歴史を振り返ってみても、歴代中国王朝の転覆は、異民族の侵入、体制内の分裂、宗教ブームが大衆の不満とセットになったときにだいたい起きています。特に王朝の転換期には必ずといっていいほど新興信仰が急速に広がりました。

後漢末期に起きた黄巾《こうきん》の乱は太平道という新興宗教によって結束した農民の反乱でした。元末期の農民反乱、紅巾の乱は白蓮教を紐帯《ちゅうたい》としていました。清朝を弱体化させた太平天国の乱は拝上帝会というキリスト教信仰が農民反乱軍のよりどころでした。清朝末期に排外運動を各地で起こした義和団は白蓮教の一派ともいえる宗教結社で、彼らの蜂起に押されて清朝政府は列強との戦争を始めました。

宗教は個々の人々を結束させ、命すら捨てさせる勇気を与えます。

現世政治に対する大衆の不満を大きな変革の波にする力があり、これが末期を迎えていた政治体制や王朝に止めを刺してきたのです。

中国共産党は恐ろしいほど宗教を理解していない

習近平政権は2021年5月1日、宗教聖職者に「祖国への熱愛」を義務付ける新たな規則を施行しました。この規則には「聖職者は、共産党の指導や社会主義制度を支持しなければならない」と明記され、習近平政権が掲げる「宗教の中国化」を宗教聖職者が積極的に進めていく役割を果たすように求めています。

また、9月に施行されるという聖職者の養成学校に関する規則では、習氏の指導思想に関する教育の実施を義務付けており、宗教の「中国化」をさらに徹底していくつもりです。

このように習近平政権が進めようとしている「宗教の中国化」とは「宗教の中国共産党化」あるいは「宗教の社会主義化」といえるものです。

しかし、宗教の中国共産党化や社会主義化など、本来はありえません。

そもそも〝宗教を否定〟しているのがマルクス・レーニン主義だからです。

また、第2章のウイグル問題でも少し触れましたが、中国共産党規約によれば、中国共産党員は信仰をもってはいけないことにもなっています。

宗教が中国化・社会主義化するということは、つまり「宗教が宗教でなくなる」ということなのです。

たとえば、習近平政権が最近目の敵にしているキリスト教の人道主義と、中国の一党独裁体制の実情は相反しています。

この矛盾点を香港の記者が問いただすと、陳宗栄は次のように答えていました。

「我が国の宗教が中国化することは、宗教の基本教義を変更することではなく、中国化と宗教の教義が衝突することもありえない。それは宗教の核心的教義・礼儀・制度には抵触せず、その核心部分の変更がないという前提のもとで、政治的社会的文化的に適応するように指導するということなのだ。……具体的にいえば、政治のうえから宗教界を指導して、中国共産党の指導を擁護し、社会主義制度を擁護する。これがひとつの大前提である。そうしてこそ、広大な信仰をもたない群衆と一緒に我が国を建設し、中華民族の偉大なる復興を実現することができる」

さらに陳宗栄は「中国の宗教団体と宗教事務は外国勢力の支配を受けないし、いかなる方法でも絶対干渉は受けない。中国の宗教は自立し、自主的原則を堅持するのである」とも述べていました。

信仰をもつ人にとって、この中国の主張は納得のいくものでしょうか?

宗教が政治の道具になる歴史というのはどこの国にもあるものですが、中国共産党の場合は、本当に宗教というものがわかっていないので、取り繕《つくろ》うことすらできないのだと思います。

こうした発想が根底にあるからこそ、チベットでの仏教徒に対する弾圧や、新疆ウイグル自治区でのウイグル人(ムスリム)に対する弾圧のように、ほとんど誰にも理解できない、世界でもまれなる宗教政策・宗教弾圧が中国で行われているのです。

なぜ習近平は宗教を恐れるのか?

思えば、中国共産党自身も一種の宗教結社みたいなものです。

もともと共産主義には、資本主義の発達のなかで朽ち始めた伝統的なキリスト教的価値観に失望した人々が見出した〝新しい精神的なよりどころ〟という側面がありました。

そういう意味では、共産主義思想も〝信仰〟に近いものがあるといえます。

毛沢東は、その共産主義思想を中国人が受け入れやすいように、中華思想に適応するように

〝翻案〟して、中国の農民に広めた〝中国共産党教〟の教祖のような存在といえるでしょう。

しかし、毛沢東を〝神〟とした〝中国共産党教〟の輝きは、もうずいぶん前に失われており、体制の金属疲労は極限に来ています。そんな寿命の尽きかけた〝中国共産党教王朝〟に止めを刺すかもしれないのが、別の信仰の台頭なのです。

それは、世界で急速に信者を増やし、しかも信仰を守り、広めるためならば命がけで活動することを肯定するイスラム教かもしれないし、中国においていずれ世界最大人口を抱えるキリスト教かもしれない。あるいはダライ・ラマ14世が非暴力と中道路線（中国共産党と話し合いで調和の道を探る方針）を訴えているために今のところは中国共産党への積極的な抵抗を抑えているチベット仏教かもしれない――と、習近平は脅えているのです。

しかし、その脅えを解消するために行っている彼の宗教政策は、はっきり言って〝逆効果〟だと思います。

信仰というのは抑えつければ抑えつけるほど、弾圧すれば弾圧するほど、強く鍛えられ輝くものだからです。

キリスト教や仏教が過去にどれほどの弾圧を受けてきたことか。

イスラム教がどれほどの〝聖戦〟を経験してきたことか。

いずれも中国共産党がコントロールできるほど〝やわな宗教〟ではないと思います。

一方、共産主義・社会主義は今や世界では完全に否定され、ほぼ忘れ去られています。歴史がそれらを〝欠陥品〟として否定したのです。

中国の共産主義がいまだ強い支配力を仮にも維持できているのは、それがオリジナルの共産主義ではなく、毛沢東が中国化し、中国用にカスタマイズしたものだからでしょう。

当時は共産主義・社会主義が比較的新興の思想で、歴史の試練にさほどさらされていなかったから、毛沢東もそれを中国化することができたのであり、自分自身がその〝神〟になって中国全土に浸透させることができたのだと思われます。

ですがそれは、思想としても信仰としても〝まがい物〟です。

中国共産党員で、本当に思想や信念としてマルクス・レーニン主義を信望している人が現在どれほどいるのでしょうか。

多くの中国共産党員は、中国共産党を出世やビジネス、処世術に〝利用〟するだけのものとしか考えていません。

ですから、中国共産党が、世界の三大宗教を完全に中国化することなど無理だと思うのです。むしろ信仰などなく、直面する不安や不満を前に方向感覚を見失っている中国共産党が、中国に急速に浸透している宗教に飲み込まれる可能性が大きいのではないでしょうか。

きっかけは何になるのか。イスラム教を紐帯とした民族蜂起かもしれませんし、ローマ教皇の訪中かもしれません。あるいはダライ・ラマ14世の入寂《にゅうじゃく》かもしれません。いずれにしろ、宗教が中国の王朝転換に大きな役割を果たすという歴史的ジンクスを習近平は恐れているのだと思います。

習近平政権の最大の不安要素は〝人民〟

習近平がクーデターや宗教以上に恐れているといっても過言ではないのが、中国ではしばしば「最大の暴力装置」と表現されることのある〝人民〟です。

習近平に限らず、歴代中国の支配者たちは、大衆をいかに管理・コントロールするかに腐心《ふしん》してきました。

権力者側からすると、中国の人民は、コントロールしやすく、独裁には好都合な一面があります。神話以来の価値観に基づく独裁者待望論があるからです。

中国の人類創生神話は、女媧《じょか》という女神が泥人形をつくるところから始まります。女媧は最初こそ丁寧に一体一体泥人形（人間）をつくっていたのですが、途中から面倒くさくなって、縄を泥に浸して振り回すようになりました。このとき、飛び散った泥の滴《しずく》からも人間が生まれました。この神話に基づき、中華世界の人間観では、丁寧につくられた優秀で徳の高い選ばれし人間（泥人形から生じた人間）と、全般的にレベルの低いどうでもいい人間（泥の滴から生じた人間）とで、生まれながらに差があるのです。

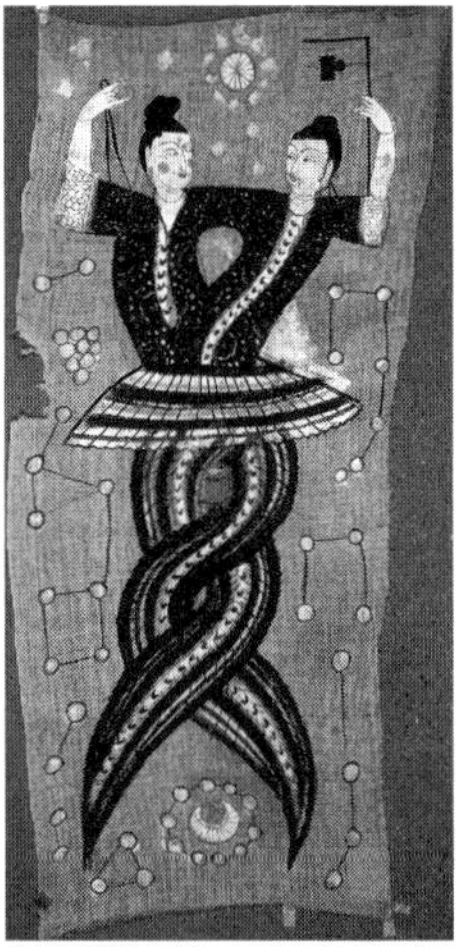
女媧と伏羲

実際、中国の指導者や官僚や知識人、すなわち〝選ばれし優秀な人間〟たちは、「泥の滴から生じた人間」のように無知蒙昧《むちもうまい》な大衆をきっちりと支配して導いてあげないと、大衆が動乱を起こして、社会がめちゃくちゃになってしまう、と「上から目線」で考える傾向があります。

国民革命軍を率いる蒋介石（1926 年）

一方で大衆側も、臆病で怠惰な傾向があるので、自分で物事を考えたり決断したりするより、リーダーシップのある強い指導者に導いてもらうほうが楽だと思っている人が少なくありません。

それゆえ、そもそも中国には、〝独裁者待望論〟があるのです。

中国共産党支配を肯定する人たちは「この広大な中国は中国共産党でないと治めきれない」と言いますが、これも中華世界の人間観に基づく独裁者待望論による考えなのかもしれません。こういった土壌が蒋介石や毛沢東を生んだのでしょう。

日本人には理解しがたい〝人民〟の熱気と狂気

ただ、そうはいっても、〝歓迎される独裁者〟と〝歓迎されない独裁者〟がいます。

〝歓迎される独裁者〟とは、自分たちに利益をもたらし、豊かさや明るい未来を約束してくれるような人物です。

〝歓迎されない独裁者〟はその反対で、自分たちの利益を取り上げ、人々を飢えさせ、未来に不安しか感じさせず、恐怖や抑圧でしか人々を従わせられないような人物です。

では、後者のような為政者が登場すると、どうなるのでしょうか。

大衆はとても臆病なので、最初のうちは我慢して堪え忍びますが、心の底で不満を募らせていきます。彼らは自分ひとりで考えて決断・行動するのは苦手ですが、臆病な分だけ〝強者〟の登場や、政治の風向きには敏感なのです。身を守るために政治の風向きを見ながら、自分が迫害される立場にならないよう、大勢のなかに紛れる習性があります。そして、誰が〝強者〟なのかという臭いをかぎ分けます。

しかし、それは時に〝集団ヒステリー〟のように全員が一斉に同じ方向を向いて走り出すような〝熱狂〟を生みます。

長らく圧政に堪えて心の底に不満や不安を蓄積していた人民が、政治の風向きに何らかの異変を感じたとき、あるいは新たな強者の出現を見出したとき、一斉にひとつの方向に向かって走り出すわけです。

「文化大革命」の熱狂など、日本人には到底理解できないと思いますが、中国でしばらく生活

紅衛兵に答礼する毛沢東
（1966年）

して中国社会やその気質を理解してくると、「なるほど、この国では文革のようなことが今でも起こりうる土壌があるのだな」と気づくはずです。

私は１９９８年の反米デモや２００５年の反日デモの現場を、学生たちや大衆のど真ん中で見てきました。その際、昨日まで米国に留学したいと言っていた学生が米領事館前でシュプレヒコールを叫び、アニメや漫画が好きで日本語を話すような学生までが反日デモに参加していたのを目の当たりにしています。その熱気・狂気が一段落したときに、反日デモに参加した日本アニメ好きの学生に、「日本が好きだと言っていたのに、なぜデモに参加したの？」と問い質すと、「空気に呑まれてしまって……」と気恥ずかしそうに言い訳をしていました。

大衆を支配するのに必要な「２本の竿」とは？

どうやら中国の大衆は、鬱憤や不満がたまっているとき、「こっちの方向に不満はけ口があるぞ」と号令をかけられると、その方向性が正しいのかどうかを自分で判断するよりも先に、熱気に伝染したように暴れ出してしまうところがあるようです。

なので、中国の為政者は、権力闘争で政敵をやっつける際には、大衆運動や政治キャンペーンを打って、まず世論を扇動しようとします。

また、メディアを使って、今、誰が強者なのかをアピールします。

文化大革命も天安門事件も、背後に権力闘争があり、権力者側による世論誘導・扇動がありました。

中国では大衆を支配するのに「2本の竿」が必要だといいます。

天安門広場で毛沢東語録を掲げる紅衛兵（1967年）

それは「銃竿子（銃＝軍事力、暴力）」と「筆竿子（ペン＝メディア、宣伝）」です。
この2本で大衆心理をコントロールし管理すること、これが独裁の基本なのです。
逆にいえば、この2本のどちらかでも失い、大衆心理をコントロールできなくなった途端、大衆は方向性を見失い、集団ヒステリーを起こして「乱」を起こすということになります。実際、中国の歴史で王朝の交代というのは、たいてい農民、大衆の反乱から始まりました。

ですから、中国の為政者が最も神経を使うのは〝大衆の管理とコントロール〟なのです。

権力者側からすると、中国の人民の大半は、「泥の滴から生じた人間」のように無知蒙昧で、臆病で、怠惰でコントロールしやすく、独裁には好都合な大衆です。

しかし、圧政にいじめられ、恨みや不満をため込んだ大衆は、為政者がコントロール力を失うと、たちまち「乱」を起こす危険な存在になります。

これが中国で「人民は最大の暴力装置」といわれるゆえんです。

〝やらせ〟までして庶民に媚を売ろうとした習近平

習近平がいかに人民を恐れているかは、習近平政権が前例のないほど人民の監視とコントロールに力を注いでいることからもわかります。もちろん、それはＡＩやＩＴ分野のテクノロジーの発展に支えられてのことではありますが、私はむしろ逆説的に、中国でここまでＡＩや

ＩＴが発展した最大の理由は、「人民をコントロールしなければならない」という習近平政権の切実な事情があったからだと考えています。

習近平は、文革時代に最も多感な思春期を過ごしました。その際、人民と世論をコントロールする毛沢東の手腕を目の当たりにしながら、人民の怖さについても感覚的に理解していったのでしょう。

そのためか、習近平は権力の座に就いた途端、まず大衆路線を打ち出しました。本当は「紅二代」のプリンスで、ものすごく貴族意識の高い血統論者でありながら、自分が人民・大衆サイドの人間であることを精一杯アピールしたわけです。

たとえば、北京の行列のできる肉まん屋に部下も従えずに並んで庶民と同じ食事を好んでいる様子や、地方視察にマイスリッパ・マイ枕を持参して、部下が予約した高級ホテルのスイートルームをわざわざ安い部屋に替えさせたというエピソードなどを「新華社」に報じさせて「質素倹約の人」というイメージづくりをしました。

のちにメディア関係者から聞いたのですが、習近平が行列のできる肉まん屋に並んだ話は全部〝やらせ〟だそうです。暗殺を極度に恐れている習近平には、とても本物の大衆のなかに単身で入り込む勇気などなく、店の客は全員〝サクラ〟で、私服警官ばかりだったとか。

習近平が行った反腐敗キャンペーンによる大粛清も、人民の不満の〝ガス抜き〟という側面がありました。

反腐敗キャンペーンで〝成敗〟されたのは、甘い汁を吸っている政治家だけでなく、金持ち官僚や金持ち人気俳優や金持ちビジネスマンたちです。

中国の庶民のなかには、臆病で怠惰で嫉妬深い人間も多く、彼らは「自分が貧しいのは、自分の努力や才能が足りないのではなく、この不条理な社会をつくっている誰かが悪いんだ」と考えます。

本来その不満はそんな社会をつくっている〝最大の巨悪〟である習近平政権に向けられるべきでしょう。

しかし、〝強者〟に敏感な大衆は〝最大の強者〟である政権を批判する代わりに、〝中間の強者〟である金持ちの官僚やビジネスマン、著名人がやっつけられることに、快感と安心を覚えるのです。

偉そうにしていた官僚がテレビカメラに向かって涙ながらに反省し、視聴者に許しを請い、党中央の裁きに従う姿は、貧しい境遇で現状の暮らしに漠然と不満をもつ大衆にとっては格好のうっぷん晴らしになりました。

同時にこれは「一番強いのは習近平である」という宣伝にもなるわけです。

このプロセスに司法は関係ありません。司法よりも重要なのは、「彼らをやっつけ、裁きをつけているのは、〝最強の権力者〟習近平である」というアピールなのです。

しかし、はじめは腐敗官僚や金持ち連中をやっつける習近平に喝采を送っていた人民も、やがてそれが単なる習近平自身の権力闘争であり、社会で現実に起きているさまざまな問題の改善とはまったく関係しない別次元の話であることに気づきました。すなわち、習近平政権が誕生してからも、現実の自分たちの暮らしが一向に良くならず、むしろ若者の失業者は増え、家賃や不動産は値下がりせず、豚肉や食用油、米などの生活費が高騰していることに気づき始めたわけです。

習近平はこのままいけば人民による〝乱〟が起きることを予感しているのではないでしょうか。

必死になって前代未聞のハイテク監視社会を築こうとしているのも、そんな習近平の焦りの裏返しに思えます。

いずれにせよ、人民を恐れ、信じることのできない人間が人民の指導者であり続けているという〝ありえない状態〟こそ、中国にとっても近隣諸国にとっても〝災い〟だといえるでしょう。

「無能な独裁者」への権力集中がすべての〝災い〟のもと

最近、私たち日本人が「習近平」という〝災い〟の被害をもっとも受けたのは、何といってもやはり新型コロナウイルスです。

武漢発の新型コロナウイルスが今日のようなパンデミック（世界的大流行）に発展した大きな原因のひとつは、中国共産党の情報隠蔽体質にあります。中国が新型コロナウイルスの情報を隠したことで世界各国の初動対応に遅れが生じたことはまぎれもない事実です。

国際社会からも非難されたこの問題は、政策の決定権を習近平ひとりが握り、鄧小平以来の伝統であった共産党の集団指導体制のシステムが機能しなかったことが背景にあったと考えられます。

何度も述べてきたように、習近平政権の反腐敗キャンペーンは、習近平が気に入らない政敵や官僚を汚職の罪で次々に失脚させていく〝恐怖政治〟でもありました。これにより、地方の官僚や、中央の末端の官僚たちは、習近平の指示・指導以外のことを積極的に行わなくなります。自分の判断で下手なことをすれば、自分のクビを切られるわけですから無理もありません。

また、習近平自身、能力や学力に対する強いコンプレックスがあるので、自分より能力の高い官僚を嫌う傾向もありました。そのため、習近平の喜ぶことだけを忖度して行う〝ヒラメ官僚〟だけが出世するようになって官僚全体のレベルがだんだんと下がり、官僚システムそのものが機能不全に陥ってしまったのです。

すると、どうなるか。

習近平のもとには現場の正しい情報が速やかに上げられなくなりました。

習近平に嫌われれば、失脚させられてしまうので、地方のヒラメ官僚たちは、習近平の不興を買うような〝悪い情報〟をあえて上げなくなったわけです。

一方で、習近平は、すべてを自分の判断によるトップダウン形式で行う仕組みを省庁改革によって進めてきました。習近平の許可や指導なく、勝手に指揮をとることは誰にも許されなくなっていたのです。

ということは、習近平は現場の状況をたいして知らないまま、あれもこれも自分だけの判断で指示を出さなければならなくなります。現場から上がってくる間違った情報に基づいて正しい判断を下すなど、天才的なリーダーでもおそらく不可能なのに、「無能」な習近平にできるわけがありません。

そのため、意思決定の過程でたびたび判断ミス、政策ミスが起きるのですが、下の官僚たちは、習近平に対して、「あなたの判断ミスでこういう結果になりました」と報告するなど恐ろしくてできません。なので、新たな嘘の報告や隠蔽が行われ、当初のミスが是正されないまま、さらに悪い結果を引き起こす、という〝負のスパイラル〟に陥っていくわけです。

この構造的な問題は何も新型コロナウイルスに限った話ではなく、第1章、第2章で述べてきた香港問題にもウイグル問題にも、共通するものがあります。いずれも、〝習近平という一個人の人間的な要素〟を無視できません。

根本的な問題は、「無能」な習近平に権力が集中しすぎていることなのです。

しかし、ある意味、習近平が「無能」だったおかげで、香港問題も、ウイグル問題も、新型コロナウイルスのパンデミックも、中国共産党政権の〝正体〟を世に暴き、チャイナ・ドリームから世界中の人々を目覚めさせる大きなきっかけとなりました。

もしかすると、そう遠くない将来、習近平自身が中国共産党政権を終焉《しゅうえん》に導く〝災い〟になるのかもしれません。

第4章

〝チャイナ・リスク〟と日本の対中戦略

習近平は〝保身〟のためなら戦争をする？

日本はこれから中国とどのように付き合っていけばよいでしょうか。

前章で述べた通り、習近平政権はいろいろな意味で〝危うい〟存在です。国内外からのプレッシャーを受けて追い詰められれば何をしでかすかわからない面があるので、日本のみならず世界中に新たな〝災い〟をもたらすリスクを秘めています。

今度は何の前触れもなく、台湾や尖閣諸島で有事を起こすかもしれません。

中国では、経済が悪化し、人民の暮らしが苦しくなり、権力闘争が激化しているときほど、国民の関心を外にそらし、国威を発揚し、権力を掌握するために戦争を仕掛ける傾向がありま す。国内が不安定化すると対外戦争を行って国威発揚し、中国共産党の軍権掌握と人民の愛国心やナショナリズム高揚効果を狙うわけです。それと同時に、軍内の〝不穏分子〟を戦場に送り出す、というようなことを実際にやってきました。

中国とベトナムとの間で起こった1979年の中越戦争や1984年の中越国境紛争がまさにそれです。どちらも中国がズタボロに敗れるという結果に終わったのですが、国内には大勝

中越戦争（1979年3月）
©Ullstein bild/アフロ

利と喧伝《けんでん》され、鄧小平がカリスマ的地位を確立するのに成功しました。インターネットの発達した今日で同じ手が通用するかは疑問ですが、それが中国共産党政権にとっては一種の成功体験だったことは確かです。

経済の急減速、権力闘争の激化、解放軍内の不満・不穏、国家指導者としての量力・カリスマ不足という問題に今まさに直面している習近平が同じ発想をもっていたとしても不思議ではありません。

失脚するくらいならいっそ、たとえ負ける可能性があっても戦争のひとつでもやってやろう――そんなことを考えていてもおかしくない〝危うさ〟が習近平にはあるのです。

尖閣諸島で〝有事〟が起こる可能性は低い？

あるいは、たとえ習近平本人に戦争をする気がなくても、中国共産党内の習近平を陥れようとする勢力が〝暴走〟するかもしれません。現状、習近平が解放軍を完全に掌握しているとは言い難いうえに、これまでさんざん軍人たちの恨みを買ってきたからです。

私は、中国が尖閣諸島で武力を伴うアクションを仕掛けてくる可能性は、今のところ他の地域に比べて低いと考えていますが、「軍の暴走」というケースは大きな不安要素として無視できません。

たとえば今後、香港問題やウイグル問題などで欧米諸国からの批判が厳しくなると、中国は日本にすり寄ってくるはずです。

しかし、習近平政権が日本とうまくやろうとしているときに、軍が政権の足を引っぱるように、尖閣諸島に対してこれまでよりもステージをあげた〝ちょっかい〟を出してくる可能性はあります。軍が習近平政権に盾突く場合、真正面から軍事クーデターを起こすのではなく、あたかも習近平の対外強硬路線に沿っているようなふりをして、外交上のマイナスになるような行動に出ることがあるからです。２０１７年に中国・インド間で緊張が高まって起こった中印国境紛争などがまさにそうでした。

ちなみに、中国が当分の間は尖閣諸島に攻撃を仕掛けてくる可能性が低いと思われる根拠は、シンプルに台湾や朝鮮半島、東南アジア諸国などと比べて日本が〝強い〟からです。

自衛隊は「理想的な現代型少数精鋭軍のお手本」として中国からも高く評価され、一目置かれているという話を、総合国力の評価をしている中国人研究者の方から以前聞いたことがあります。その方は、「短期決戦だと中国軍が負ける」とも言っていました。それは裏を返せば、「長期戦だと総合戦力的に有利な中国軍が勝つ」ということでもありますが、国威発揚や権力の掌握のための戦争であれば、サッとやってサッと勝てなければあまり効果がありません。自分からケンカを売っておきながら手こずってはいけないわけです。

しかし、自衛隊が相手だとそれが難しいうえに、日本は世界最大の軍事大国アメリカの同盟国でもあります。こうした事情を踏まえると、中国にとっては、やはり手を出しにくいわけです。

ただし、中国からすると、日本にはいくらでもつけ入るスキがあります。

自衛隊がどれほど優れていようとも、現状は憲法の問題から「国防軍」としての法的根拠に欠けています。それに、そもそも日本は交戦権を自らもたないと憲法で定めています。そんな国ですから、中国は多少ちょっかいを出しても、大事にはいたらない比較的安心な国だと〝舐めている〟わけです。

他国とならば紛争に発展しかねないような挑発でも、日本なら「遺憾」や「厳正なる抗議」で済ましてくれます。習近平政権からすると、対外的な強硬姿勢を国内向けにアピールするには日本ほど〝都合のいい相手〟はなかなかいません。

中国共産党政権は本質的に「反日」です。

中国共産党が無制限に日本と仲良くするなど、そもそもありえません。

そんなことをすれば、執政党としての〝資格〟を自ら否定するようなものです。

中国共産党の執政党としての正統性の根拠は「抗日戦争に勝利した」という点にあります。

日本への挑発は、たとえ日中友好ムードのなかであっても〝定期的〟に行わねばならないのです。

当然それくらいのことは日本政府もわかっています。だから、中国から挑発を受けてもいつものことだと慣れてしまっているのです。

ですが、そういう日本の緩い感覚が、いつか〝偶発的な事件〟を招く結果になるかもしれません。

日中両国が「一歩間違えれば核戦争だ」と思いながら対峙するのと、「どうせ戦争などにはなりっこない」と思いながら対峙するのとでは、緊張感が違います。日中ともどこかお互いを甘くみているからこそ、思いがけない危機を引き起こす危険性があると思います。

日本は、今後もし中国側が友好的にすり寄ってきても尖閣問題のリスクが低下したなどとは思わず、関係が悪いとき以上に警戒心と緊張感をもってほしいところです。

人民解放軍は〝弱い〟から大丈夫？

親中派に限らず、「中国が戦争を仕掛けてくるなんてありえない」という意見の人たちが意外とたくさんいます。しかし、彼らの話をよく聞いてみると、その大半は、〝人民解放軍の実力に対する評価〟と〝戦争に対する認識〟がひと昔前のままで止まっていて、アップデートされていません。

そもそも、彼らは人民解放軍を過小評価しすぎています。確かにひと昔前は、数字上の戦力はあっても規律の緩んだ〝弱い〟軍隊だったかもしれません。しかし、習近平政権になってから「強軍化路線」の軍制改革が進められ、実践を想定した訓練も増えました。

習近平政権は、今世紀半ばまでに「戦争ができる、戦争に勝てる」一流の軍隊を建設することを大目標の一つに掲げています。それを受けて、2019年3月1日には、解放軍軍事訓練

中国国防費の推移

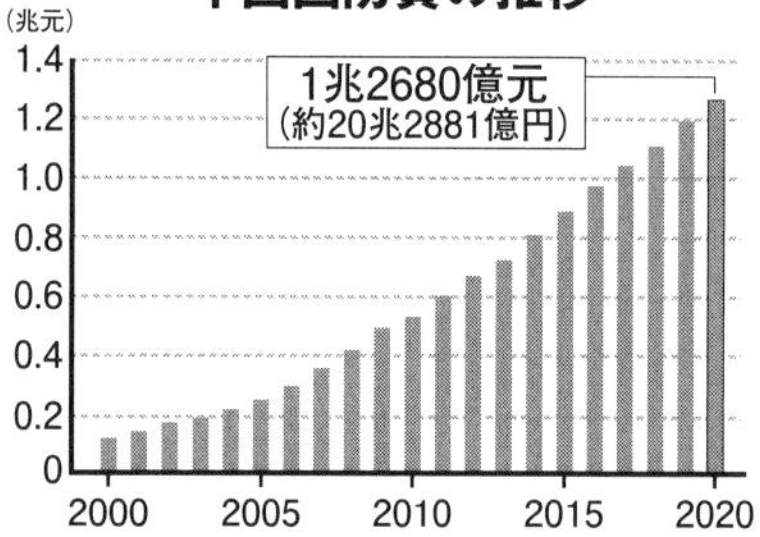

令和２年「防衛白書」などを参照

監察条例が施行され、解放軍が習近平の要求する実力に到達しているかを実戦想定レベルではかるための基準や制度が整えられました。

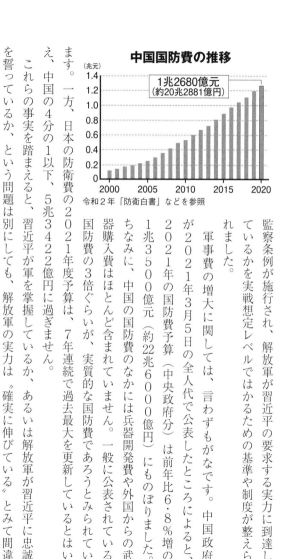

軍事費の増大に関しては、言わずもがなです。中国政府が2021年3月5日の全人代で公表したところによると、2021年の国防費予算（中央政府分）は前年比6・8%増の1兆3500億元（約22兆6000億円）にものぼりました。ちなみに、中国の国防費のなかには兵器開発費や外国からの武器購入費はほとんど含まれていません。一般に公表されている国防費の3倍ぐらいが、実質的な国防費であろうとみられています。一方、日本の防衛費の2021年度予算は、7年連続で過去最大を更新しているとはいえ、中国の4分の1以下、5兆3422億円に過ぎません。

これらの事実を踏まえると、習近平が軍を掌握しているか、あるいは解放軍が習近平に忠誠を誓っているか、という問題は別にしても、解放軍の実力は〝確実に伸びている〟とみて間違いないでしょう。

米国防情報局（DIA）やアメリカのシンクタンクのランド研究所などが出している中国軍の実力評価に関するレポートを読むと、ものすごく評価の高い部分と低い部分が混在している印象があります。

評価の低い部分はまず、軍事人材が極度に欠乏している点です。これには、軍人の練度や、「反腐敗キャンペーン」などの権力闘争に伴う優秀な軍人のパージ、軍内の腐敗なども影響を及ぼしているでしょう。

一方、評価されているのは、宇宙空間の利用やサイバー攻撃、情報心理戦、法律戦などを伴う「情報化戦争」に対する準備を相当に進めている点です。宇宙軍、サイバー軍など領域も将来を見越して予算と人的資源を積極的に投入しています。

また、軍民融合戦略として、中央軍事委員会科学技術委員会などに民間人を入れたり、戦争行為以外の非軍事行動を行う「複合型軍人」を増やしたりするなど、中国は〝戦争に勝つための非戦争行為〟を軍民協力して行う能力が高いとされています。たとえば解放軍海軍と海警局と漁民（海上民兵）の連合作戦能力などは、中国が領有権を争う岩礁の実効支配などで効果を発揮してきました。

その他、DIAのレポートでは、艦船設計、中長距離ミサイル、ハイパーソニック兵器など中国の一部の軍事技術はすでに世界の最先端に達していると評価しています。

はっきりいって、今日の人民解放軍の実力は決して侮《あなど》っていいものではないのです。

日本人の知らないところで中国は日本に戦争を仕掛けている!?

「超限戦」という概念をご存じでしょうか。あるいは「ハイブリッットウォー」といったほうが一般的には馴染みがあるかもしれません。

ひと言でいえば、ルールや制約のない「何でもアリ」の戦争のことです。

目標を達成するためなら、兵器などを使用する通常の戦争手段だけでなく、外交戦、諜報戦、金融戦、サイバーテロやインターネット・メディア・SNSを通じた世論の誘導工作などをフルに活用して相手に攻撃を仕掛ける――政治・社会・文化・宗教・心理・思想など、およそ社会を構成するものをすべて戦争に利用して、自国が有利になるように戦略を組み立てていくわけです。

「ハイブリッドウォー」の概念を最初に打ち出したのは、実は中国の軍人です。喬良と王湘穂という解放軍の大佐が1999年に書いた戦略書『超限戦』がそのベースになりました。

この〝新しい戦争のかたち〟にはこれまでの戦争の常識やルールはあてはまりません。というより、そもそも「ルールなしで戦うという」のが超限戦の考え方なのです。

それを肯定するかしないか、好きか嫌いかにかかわらず、超限戦はもうすでに始まっています。実際、2014年のクリミア危機・ウクライナ紛争では、ロシアがハイブリッドウォーによって、ほぼ無傷であっという間にクリミアを併合してしまい、世界に衝撃を与えました。

このまま超限戦がスタンダードになると、もはや単純に軍事力の差や過去の戦績だけでは戦争の〝強さ〟を比べられなくなります。

民間人を戦闘・工作に利用することやフェイクニュースを流すことにためらいがなく、人民・金融・経済や宗教まで統制下に置くことができる中国のような全体主義独裁国家と、自由や法治といった価値観を尊び、それを侵すものはたとえ自国政府でも批判するメディアや大衆が国内に存在する自由・民主主義国家とでは、こと超限戦に限っていえばどちらが有利かは明らかです。超限戦は全体主義独裁国家の〝強み〟を最大限に発揮できる戦い方といっても過言ではないでしょう。

特に、ミサイルや戦車でドンパチやる〝昔ながらの戦争〟しか法的に想定していない日本のような国が相手だと、その差は圧倒的です。それどころか、日本の場合は、外国の対日工作に対する危機意識もないので、現実に中国から超限戦を仕掛けられていることすら気づいていません。だからこそ、識者と呼ばれるような人たちでも「中国が戦争を仕掛けてくるなんてありえない」などとノンキに言っていられるのです。

確かに中国が〝昔ながらの戦争〟を仕掛けてくる可能性は前述の通り低いかもしれませんが、超限戦はすでに始まっています。

超限戦の最大ポイントは、戦争をバトルフィールド（戦場）に集中させるのではなく、社会に広く分散させ、〝ひとつひとつの戦いを矮小化《わいしょうか》する〟ことです。言い換えると、それは「相手国に戦争の渦中にあることすら気づかせないまま、大勢の人を戦いに巻き込んで目標を達成する」という戦略なのです。

実はそうした〝見えない戦争〟のほうが、目に見える〝昔ながらの戦争〟よりも、はるかに大きな犠牲を払う結果になるということを、私たち日本人は知っておくべきでしょう。

日本は中華思想的な価値観には馴染めない

大前提として、私たち日本人がこれから先も中国という隣国とかかわっていくうえでよくよく考えておかなければならないのは、価値観の問題です。

中国とは隣国である関係上、歴史的にも長い付き合いですが、だからといって同じような価値観を共有してきたわけではありません。

たとえば中国人（漢民族）には、繰り返し異民族に攻め込まれ支配された歴史の記憶からくる強いコンプレックスと、その裏返しである「中華＝世界の中心、文明の華」というプライドに由来する「中華思想（華夷思想）」があります。ご存じの通り、「〝世界の中心、文明の華〟たる中国が、野蛮な異民族の周辺国、夷狄《いてき》をその〝徳〟でもって導くことが世界の安定と平和と発展につながる」という考え方です。

漢民族はこの中華思想をもとに、中華皇帝（天子）への朝貢を通じて周辺諸国と主従関係を結ぶ「冊封《さくほう》体制」と呼ばれる独自の外交関係、国家間秩序を築いてきました。そして、今日では、その中華皇帝のポジションが中国共産党、あるいはそのトップである習近平に代わります。

すなわち、「優れた中国人のなかで選び抜かれた人間が中国共産党に集まり、そのトップである習近平を核とする党中央が、無知蒙昧な人民を指導し管理し、礼を知らない野蛮で暴力的な異民族である諸外国にも徳と文明を分け与えている」という発想になるわけです。

おそらく習近平はこの〝中国共産党版冊封体制〟を思い描きながら、一帯一路構想などの戦略をぶち上げているのでしょう。

確かにアジアやアフリカのなかには、中国に依存していく外交が楽だと考えている国もけっこうあります。

あるいは、過去に実際冊法体制下にあり、朝貢国として中華秩序を構成する一員であったアジアの国々（日本を除く）からすれば、「中国依存」は歴史的に慣れ親しんだ考え方なのかもしれません。やはり小国にすれば、中国の傘下に入ることで得るものは大きいのです。ちなみに、韓国や北朝鮮などは「小中華意識」といって、〝大中華〟の中国が異民族に支配されたり、没落したりしたときは「我こそが中華文明を引きつぎ世界の中心となるのだ」というあまり根拠のないプライドをもっています。

しかし、はっきりいって、こうした中華思想的発想や、それに基づく社会的価値観や人間観は、私たち日本人には馴染みません。

日本人にとって馴染みやすいのは、やはり自由・民主・人権を重視する西側社会の価値観です。その点に日本と中国の根本的な違いがあります。

中国でも自由・平等・公正・法治は、社会で大事にすべき価値観であるとされていますが、それはあくまでも「共産党の指導の下の自由・平等・公正・法治」です。党を批判する自由や中国共産党的ヒエラルキーを超える平等は存在しません。ましてや個人の権利や自由を認める価値観などまったくないわけです。

日本なら、国民が政府のやり方に不満をもてば、その不満を表明できます。メディアを通じて、あるいはＳＮＳを通じて首相や大臣を「無能、無策」と罵倒《ばとう》しても身柄を拘束されることはありません。もちろん、それが原因である日突然〝失踪〟させられたり、収容所に入れられたりすることもありません。多様な専門家がメディアやＳＮＳ上で、自由に意見を表明することができます。

日本人なら、こうした言論の自由や政権を公に批判する自由を絶対に失いたくないはずです。ならば日本は、中国を中心とする中華秩序のメンバーとしてではなく、アメリカを中心とする西側社会のメンバーであるという立ち位置を明確にして、中国のこれ以上の膨張を抑えることを外交の基本にしなければなりません。

もし中国がこのまま勢力を伸ばして世界の覇権を握り、習近平政権が次の国際社会のルールメーカーになるようなことがあれば、隠蔽と言論統制を当然とする〝閉じられた中国式全体主義の価値観〟で世界が踏みにじられてしまうことになってしまうでしょう。

今後、ＳＡＲＳや新型コロナのような感染症の問題が起きても、原発事故による放射能汚染の問題が起きても、現在の習近平政権のような体制が中国で続くなら、彼らが問題を隠蔽し、世界中に危機をもたらすであろうことは目に見えています。

日本と中国に価値観の違いがある限り、そして中国の体制が根本的に変わらない限り、日中の緊密な関係には、国家安全保障上どうしても限界があるのです。

あいまいな態度は厳禁！　ユニクロの失敗に学べ

中国と日本の価値観の違いを踏まえれば、日本の外交戦略は、基本的に西側社会に近いスタンスでふるまい、中国とは適度に距離をとるべきだということは明らかです。

しかし、時として日本はどっちつかずの態度をとって失敗することがあります。

中国に接近しすぎることで生じるリスクは何も政治や外交の分野に限りません。民間レベルでも起こり得ることです。

最近の例でいえば、もっともわかりやすいのがユニクロの失敗でしょう。

近年、ウイグル人の強制労働の疑惑が国際的に問題視されている新疆綿（新疆ウイグル自治区生産の綿）を巡り、グローバル企業の新疆綿の使用・不使用についての対応が注目されるようになりました。

そのなかで、ユニクロを展開するファーストリテイリングの柳井正会長兼社長は、2021年4月8日の決算記者会見で、ウイグル強制労働問題について「政治的なことなのでノーコメント」と述べ、新疆綿の使用に関しても回答を避けたのです。これにより、西側社会でユニクロへの不信感が増してしまいました。

オーストラリアのシンクタンクＡＳＰＩ（オーストラリア戦略政策研究所）が２０２０年３月に発表したレポートによれば、２０１７年から２０１９年の間に、少なくとも８万人のウイグル人が中国各地の工場で強制労働に従事させられたといいます。そして、83社に及ぶ国際企業がこの強制労働に関与していると名指しされ、そのなかに日本・日系企業が14社含まれていることが大きなニュースになりました。

また、２０２０年12月、アメリカのシンクタンク、グローバル政策センターが米議会に提出したレポートによれば、２０１８年、綿花収穫の強制労働にウイグル人57万人が国家の干渉のもと動員されたといいます。

中国当局側はこれを「ウイグル人自身の希望に基づく労働である」と強弁しました。しかし、そもそもウイグル人にアンケートで当局の意向に反する回答ができる自由があるのか疑問です。絶対的貧困農村民に最低賃金労働をあてがって、これを脱貧困政策と嘯《うそぶ》くことの欺瞞《ぎまん》は中国内にも問題視する声があります。

こうした動きを受けて、持続的発展可能な綿花生産を促進する国際ＮＧＯ「ベター・コットン・

イニシアチブ（ＢＣＩ）」は２０２０年秋、新疆綿に対する認証発行を停止しました。ＢＣＩに加盟するＨ＆Ｍ、ナイキ、アディダスなど多くのアパレルグローバル企業も、相次いで「脱新疆綿」を宣言しました。しかし、脱新疆綿をいち早く宣言したこれらの企業は、中国市場で不買運動に遭ってしまいます。こうした事態は２０２１年３月から４月にかけて大きなニュースになりました。

一方でこの頃から世界の消費者は「新疆綿の使用」という〝踏み絵〟を企業に迫るようになります。すなわち、脱新疆綿派は西側自由主義社会に支持される代わりに中国市場から敵視され、新疆綿支持派は中国消費者からは熱烈歓迎されるが、ウイグル人弾圧に加担する「悪徳企業」のイメージがつくことになりました。そのなかで問題となったのが日本企業の対応であり、前述のユニクロの対応だったわけです。

確かに企業当事者の立場になると、この〝踏み絵〟は厳しいものがあります。

新疆綿は世界の綿花生産の２割以上を占めます。アパレル業界のサプライチェーンは複雑なので、新疆綿だけをそこから排除することはかなり困難で、時間がかかります。「新疆綿を使っているのか」と迫られて、イエス・ノーで即答できるほど単純な問題ではありません。一方でもちろん、中国市場を捨てたくないという下心もあります。

しかし、日本政府にも日本企業にもよく見られる、あいまいな態度で問題から逃げ続けようという姿勢は、それはそれで大きなリスクを伴います。

この手の〝踏み絵〟は、西側自由主義社会と中国共産党独裁体制の価値観戦争のひとつの局面であり、どちらが勝利するかによって今後の国際社会のかたちが変わるくらいインパクトのあるものです。

もし日本企業が、最終的に中国が勝つと考えているなら、なおさら危ういでしょう。

万が一、中国がこの価値観戦争に勝利し、太平洋のハワイから西側が中華式全体主義的価値観に支配されたならば、日本企業が現在のように自由な存在のままでいられるわけがありません。中国は、従順な中国企業に対してですら、ある日突然、資産を接収したり、人事権を奪ったりする国なのです。

これから先、新疆綿と似たような〝踏み絵〟を迫られるのは、おそらくアパレル業界だけにとどまらないでしょう。農産物加工、半導体、ＩＴ産業、あるいは芸能界にも広がるかもしれません。

そのとき、企業として一番守らなければならないのは、人々の自由で良質な暮らしを支えている価値観です。

もし企業がそれをわからないようなら、消費者が消費行動を通じて企業に気づかせることも重要でしょう。

同様に、日本政府がそれをわからないというのであれば、私たちは選挙を通じて政治家たちに気づかせなければなりません。

日本政府は「北京に五輪ホストの資格はない」と明言すべき

新疆綿の問題と同じように、今後は日本が中国に対してどのような態度をとるか試される機会が幾度となくあると思います。

近いところでいえば、2022年の北京五輪（冬季）を支持するか否かという問題も、中国と西側社会の価値観を巡る争いのひとつです。

思い返せば、２００８年の北京五輪（夏季）の際にも、チベット・ラサで中国によるすさまじい人権弾圧・宗教弾圧があり、それをきっかけにいわゆるチベット騒乱が起きました。大きな人権弾圧・宗教弾圧があったにもかかわらず、なぜ西側民主主義国家は２００８年北京五輪をボイコットしなかったのでしょうか。

当時は中国人民が五輪のホストとして西側社会の普遍的価値観に触れれば、中国人もきっと、民主主義に目覚め、自由と法治を尊ぶように変化するはずだ、という淡い期待がありました。恥ずかしながら、私もそのような期待を抱いていたひとりです。中国社会が豊かになることで、自由や法治に目覚め、民主主義を希求するようになる、と無邪気に考えていました。また、ナチス・ドイツやソ連のように、五輪を経験した独裁国家はその９～11年後に崩壊する、という「五輪ジンクス」というのもありました。

だから、当時はチベットでの弾圧事件で私の友人・知人もつかまったり行方不明になったりしたのですが「それでも、五輪を開くことで中国が変わるかもしれない」という一縷《いちる》の期待があったわけです。

加えて、国家レベルでは、当時の中国の〝奇跡の高度経済成長〟に目を奪われ、「これほど経済が豊かになれば、社会主義の看板はいずれ下ろさざるをえないだろう。だったら今はひとまず中国とのビジネスチャンスを大事にしたい」という本音もあったと思います。

しかし、結果から言えば2008年北京五輪がもたらしたものは、中国の傲慢な大国意識であり、世界覇権への野望です。

現在、西側社会が2022年北京五輪をボイコットする動きに出ているのも、おそらく2008年北京五輪のときの〝反省〟が少なからずあるのでしょう。

私も2022年北京五輪に関しては、日本政府に「北京には五輪のホスト資格がない」とはっきり言ってほしいと思っています。「香港の国安法を撤回しない限り、そして新疆ウイグルの強制収容と監視システムを撤廃しない限り、今回の北京冬季五輪をボイコットする」と宣言し、西側社会としっかりと歩調を合わせるべきでしょう。

それで実際に2022年北京五輪を中止に追い込めるかどうかはともかく、少なくとも日本が西側社会の価値観とともにあることを国際社会に明確に示すべきだと思います。

日本は中国とは〝真の信頼関係〟を築くことができない

これまでのように日本が西側社会に対しても、中国に対しても、〝いい顔〟をして、両方と仲良くやっていくことは、もはや難しい時代に突入したような気がします。

西側社会のなかでも特にアメリカは日本の安全保障に深くかかわる同盟国です。

確かに中国との関係を極度に悪化させるのは得策ではないかもしれませんが、アメリカとの信頼関係にヒビを入れてまで中国に接近する必要はありません。少なくとも中国共産党政権が続く限りは、中国に接近しすぎることは危険です。

繰り返しますが、中国共産党政権はその誕生の歴史的経緯や存在意義からしても絶対に「反日」の看板を下ろすことはできません。そもそも、中国共産党が執政党である根拠は「中国共産党が旧日本軍と戦って勝利した」（という中国共産党の主張）にあります。

すなわち「反日」こそが中国共産党政権の正統性を支えているわけです。

中国共産党政権は本質的に「反日」なのです。

私たち日本人はこの〝大前提〟を絶対に忘れてはいけません。

日本政府と中国共産党政権は根本的に相容れない存在であり、これから先も〝真の信頼関係〟を築けない間柄なのです（いうまでもないことですが、日本人と中国人が信頼関係を築けないという話ではありません）。

この大前提がある以上、日本側から中国に対して無条件に援助をしたり、配慮をしたりするという外交はするべきではありません。

これからの日本に求められるのは、今までのように中国が困っているときに何の戦略もなく手を差し伸べるのではなく、一気に追い詰めてより大きな成果をあげるようなクレバーな外交です。日本側が譲歩する場面では、必ず譲歩した以上の成果をもち帰る、それが見込めないなら会わない、途中で席を立つ、くらいのはっきりとした態度で交渉にのぞむべきです。

ようするに、アメリカのトランプ前大統領が得意としていたような外交戦術ですが、日本政府は、あるいは日本人は、たとえ苦手でもそうした〝時として必要なケンカ腰の外交〟にもっと慣れていかなければなりません。さもないと、これから先も中国共産党政権にいいようにやられてしまうだけです。

多くの日本人が勘違いしていることですが、国家間の関係を良くすることが外交ではありません。相手国との関係が悪化しようが改善しようが、結局のところは〝国益〟のためにするのが外交です。単純に相手国の政治家や官僚と友情・信頼関係を築くことと外交をごっちゃにしている人が日本には多い気がします。外国に〝お友達〟がたくさんできたところで、それが〝国益〟に結びつかなければ、外交としては意味がありません。

日本の喫緊の課題は〝国力〟向上

一方で、日本はアメリカとの関係もいわゆる対等な国と国の外交になっていないという現状があります。国防という独立国家の〝要《かなめ》〟の部分をアメリカにほとんど預けているわけですから、対等な関係になりえないのは当然でしょう。日本にとっては外交上、米国に逆らうという選択肢はないのです。

今の日本の立ち位置は、米国の同盟国としての忠実な立場を変えることができないと同時に、中国とは絶対に真の信頼関係は築けないというところにあります。

ならば、日本の外交路線は、少なくとも当面は、日米関係の安定を最優先させる外交を心掛けるべきでしょう。

中国は国際社会から追い詰められると日本に接近してくる傾向があります。日本側がそれに反応して中途半端に中国寄りの外交をしてしまい、対中包囲網を形成しているアメリカをはじめとする西側社会から「裏切り者」扱いでもされようものなら、目もあてられません。

そもそも「日米離反」は、長年中国が基本としている外交政策です。もし日本がさほど深い考えもなく中国との関係改善に動けば、それを利用して日米関係に亀裂を入れようとしてくるでしょう。

しかし、一方で日本がこのままアメリカの〝忠実な補佐官〟的な立ち位置にとどまっているのも、それはそれで危険だと思います。もし今後、米中双方が融和政策に転じたときには、日本が米中両国から圧力を受けて窮地に陥る可能性があるからです。

今のところアメリカのバイデン政権は先代のトランプ政権の対中強硬路線を継承していますが、過去にも親中的だった〝前科〟のある民主党政権下では、気候変動や経済繁栄を建前に徐々に対中融和路線に転換していくというシナリオも十分にありえます。加えて、バイデン大統領は中国側にプライベートな〝弱み〟をいろいろと握られているという噂もあるくらいです。

もしアメリカの対中強硬路線が後退すれば、おそらくEUやイギリス、日本、オーストラリアなどもそれに引っ張られるので、せっかくここまで築いてきた対中包囲網も結果的にザルになることでしょう。

結局のところ、日本は一刻も早くアメリカとも中国とも対等に渡り合える国家としての実力を身につける必要があるということです。

国家の実力、すなわち〝国力〟を高めるには、経済力やソフトパワー、いわゆるインテリジェンスの分野（情報の収集・解析・発信力）を充実させることも必要ですが、基本はやはり軍事力です。経済規模が韓国以下のロシアがいまだに「大国」扱いされているのは、なんといっても軍事力や兵器開発力が世界上位だからです。

日本の自衛隊は近代少数精鋭防衛力として世界の理想形を示しているといわれていますが、憲法上の軍隊として扱われておらず、日本は交戦権が認められていないので、国防力として正式には評価されていません。自前の兵器開発もできず、国防軍と呼ぶにはあまりにも制約が多すぎます。防衛費も先進国のレベルにはまだまだ達していません。

日本という国は、国際社会では所詮、「アメリカの軍事力の傘の下で〝楽〟をしている国家」

扱いなのです。

米国にも物申すことができて、中国の圧力にも屈しないようになるには、まず国防力など〝国家の要諦《ようてい》〟となる部分から見直していかなくてはなりません。

なぜ日本のマスコミは中国のことになると腰が引けるのか？

国力が弱いとメディアの報道姿勢にも影響が出てきます。

日本の大手メディアが中国のネガティブな情報を積極的に報じていないことに不満をもっている日本人はおそらく少なくないでしょう。

たとえばウイグル問題ひとつとってみても、英米メディアの果敢な現地取材に比べると、日本のメディアはウイグル問題に対する継続した報道はしてきませんでした。ＮＨＫのＢＳ放送や一部の雑誌、新聞で単発的に取り上げてはいましたが、いわゆる大手メディアで、この問題を継続的に集中して取り上げているところはあまりありません。全国紙では産経新聞が最近力を入れて報道しているくらいです。

第2章でも述べた通り、これまで『ウォール・ストリート・ジャーナル』や『ニューヨーク・タイムズ』、BBSなどの英米メディアは、米国政府系資金が入った独立系華字メディア「ラジオ・フリー・アジア（RFA）」のウイグル人記者から情報提供や取材の手引きを受けながらウイグル問題を報じてきました。

実はRFAのウイグル人記者たちは日本の大手メディアにも在日ウイグル人を通じてかなり早い時期から情報提供をしています。しかし、日本の大手メディアの記者は、英米メディアと比べ、ウイグル問題についてかなり消極的だったそうです。

日本の大手メディアは北京や上海に総局・支局をもっています。下手にウイグル問題に手を出すと、現地の特派員たちが中国当局に睨まれ、中国における他の取材に支障が及ぶ、というのがその大きな理由でした。

日本メディアの中国駐在記者たちが英米メディアの駐在記者たちに比べて強い圧力を受けがちなのは確かです。

理由は簡単で、米国や英国と、日本とでは〝国力〟に差があり、それがそのまま中国における邦人保護の姿勢にも反映されているからです。

たとえば2015年から2021年1月にかけて、少なくとも15人以上の日本人が中国において〝スパイ容疑〟などで拘束され、うち9人が懲役の実刑判決を受けています。それなのに、日本政府は彼らを助けるために、ほとんど何の外交交渉も行っていません。せいぜい日本大使館関係者が定期的に見舞いに行って、差し入れをしているぐらいです。

外国人記者をコントロールする常套手段として、中国当局はジャーナリストビザ（Jビザ）の更新拒否や脱税その他の容疑で外国人記者に圧力を掛けることがあります。

しかし、たとえばアメリカ政府の場合、2013年暮れにアメリカ人記者のJビザ更新拒否問題が起きた際には、バイデン副大統領（当時）みずから北京を訪れ、中国政府と交渉してビザを更新させせました。

一方、同じ時期、日本メディアの記者たちも同様の問題を抱えていたのですが、日本にはアメリカのような真似はできませんでした。

そもそも、日本にはこうした場面で中国と駆け引きできるだけの外交材料がありません。繰り返しになりますがこの手の交渉には、やはり軍事力や諜報防諜力、経済力などを背景にした強い〝国力〟が必要になるのです。

しかも、日本の場合、政府の姿勢だけでなく世論も含めて、メディアが取材で負うリスクはすべて「自己責任」であるという考え方が主流になっています。日本政府からも世論からも支援や支持が得られないのであれば、メディアは報道よりもまず〝リスク回避〟を優先させがちになります。

私が中国での取材経験を通じて感じたところでは、欧米のメディアは「報道の自由」を貫くことを絶対正義と考えています。そして、それを政府も世論も基本的には支持しています。だから、たとえばアメリカ人記者の場合だと、自分自身や取材協力者の身に何かが起これば、アメリカがだまっちゃいない――「アメリカには我々の〝正義〟を守ってくれる国力と実行力がある」という信頼感がそこにはあるのです。

私も北京駐在のアメリカ人記者たちが、中国人の助手たちにリスクの高い最前線で取材させる様子をよく見掛けましたが、そんなことができるのもやはり「報道の自由＝絶対正義」という考え方と、自国への信頼感があってのことだと思います。

また、彼らは取材の過程で〝多少の犠牲〟があっても――たとえば情報提供者が逮捕され、拷問を受けるなどの問題が起きても、さほど罪悪感をもちません。彼らにとっては逮捕や拷問をする側が〝絶対悪〟だからです。こうした考え方や取材姿勢は、日本人や日本のメディアにはなかなかできないな、と驚かされました。

中国で現地の取材を行えば、必ず中国国籍の現地関係者の協力を請うことになります。彼らの安全を守るのは、いざとなれば帰国すればよい自分自身の安全を守るより、よほど困難です。なので、たとえ取材相手にリスクを負う強い決意があったとしても、日本人の記者はたいてい躊躇《ちゅうちょ》します。しかし、欧米メディアの記者はそのあたりを割り切って考えており、「正義（報道の自由）のためなら多少の犠牲は仕方ない」と、ある意味、非情に徹することができるのです。

日本の記者の場合、中国には中国の法律、ルールがあり、それを「報道の自由」のために犯し、あまつさえ取材協力者を危険に晒すわけにはいかない、と考えます。少しでもそうしたリスクがあれば、取材を諦める選択をすることが多くなります。不当で不公正なルールでも、ルールはルールと遵守しようと考えるわけです。ルールに反した強引な取材をすることを、おそらく日本の世論も支持しないでしょう。

このメディア側の報道姿勢の点に関しては、欧米と日本で単純にどちらが良い、悪いといえる問題ではないかもしれません。

しかし、少なくとも欧米のメディアと日本のメディアの〝報道力〟の差は、ジャーナリズムに対する国民の意識や国際社会における〝国力〟の差がそのまま反映されているといえるのです。

『在日ウイグル人が明かす　ウイグル・ジェノサイド』（ハート出版）

ムカイダイス

特別対談

×

福島香織

『ウイグル人に何が起きているのか　民族迫害の起源と現在』（ＰＨＰ出版）

ムカイダイス（Muqeddes）

ウルムチ出身のウイグル人。千葉大学非常勤講師。上海華東師範大学ロシア語学科卒業。神奈川大学歴史民俗資料学研究科博士課程修了。元放送大学面接授業講師、元東京外国語大学オープンアカデミーウイグル語講師。世界文学会会員。著書に『在日ウイグル人が明かす　ウイグル・ジェノサイド』（ハート出版）『ああ、ウイグルの大地』、『ウイグルの詩人　アフメットジャン・オスマン選詩集』、『ウイグル新鋭詩人選詩集』二冊とも河合眞共訳（左右社）、『聖なる儀式　タヒル・ハムット・イズギル詩集』河合眞共編訳、『ウイグルの民話　動物編』河合直美共編訳（二冊とも鉱脈社）などがある。それ以外に『万葉集』（第4巻まで）、『百人一首』、関岡英之著『旧帝国陸軍知られざる地政学戦略—見果てぬ防共回廊』のウイグル語訳を手掛けるほか、ウイグル語のネット雑誌『探検』にて詩や随筆を多数発表している。

福島先生は私にとっての「燕」

福島：ムカイダイスさんの『ウイグル・ジェノサイド』（ハート出版、2021年3月）、読ませていただきました。素晴らしい本ですね。これが先にあったら私はたぶん、『ウイグル人に何が起きているのか』（PHP研究所、2019年6月）を書かなかったと思います。書く必要がないなって（笑）。

ムカイダイス：ありがとうございます。実は私が『ウイグル・ジェノサイド』の執筆依頼のお話をいただいたのは、かなり前、2年、3年くらい前でした。でも、それから病気で1年間入院したりして、なかなか書けない状況が続いたんです。だから、ハート出版の担当者の方に「書けないです」って伝えましたが、担当者は「永遠に、いつまでも待ちますから」って言ってくださいました。その言葉が本当にうれしかったですね。

それからウイグルに関することを、日本で、そして日本語で本にしてみたいという気持ちがいっそう強くなりました。それで、どんな本にしようかと考えていたときに福島先生の『ウイグル人に何が起きているのか』が出たことを知って、すぐに買って読ませていただいたんです。

全体的にウイグルに対してとてもやさしく書いてくださっていて、しかもウイグル問題の現状を日本の社会に問いかけるとても意義深い本だと思いました。ぜひ一度ご挨拶して感謝の気持ちを伝えたいと思っていたので、今日、こうしてお会いできたことが本当にうれしいです。

それと、こういう機会があれば直接申し上げたいと前々から思っていたんですが、私の本のなかでウイグルのとある民話、地獄の炎で焼かれて苦しむ人々を目の当たりにした蛇と燕《つばめ》の物語の一節を紹介しています。

燕は火を消し人々を助けるために口で水を運ぶ。

蛇は芝を拾って炎にくべる。そして燕を嘲笑《あざわら》いながら言う。

「愚かな燕よ！　そんなことして火が消える訳がない。早く諦めなさい」

燕は答える。

「蛇よ、お前の目に苦しむ人々が映っていないのか。彼らを助けたい。私はその信念で動いている。多くの人が私のように信念を持てば地獄の炎が消えるからだ。お前こそ愚かである。いずれその炎でお前が焼かれるのは明白なのに、その炎を大きくしているのだ」

※『ウイグル・ジェノサイド』183ページより

あの燕の話は、ウイグルの今後の見通しが明るくないなかでも、世界の一人ひとりが燕の信念に共感する世の中になってくれることを願って載せましたが、実は私にとっての燕は福島香織先生のことであり、関岡英之先生（※1）や清水ともみ先生（※2）のことだったのです。『ウイグル・ジェノサイド』を書く前に先生方の本を読んで、日本にも〝燕たち〟がいてくれたことに感動して、私もそれに続こうという気持ちであそこに入れました。

福島先生が「ウイグル人に何か起きているのか」という大きなテーマを、日本の社会に投げかけてくださったおかげで、みんな「何が起きているんだろう？」と考えてくれるきっかけに

※1　**関岡英之**：ノンフィクション作家。戦前に旧帝国陸軍と関東軍が密かに推進していた東アジアの共産主義化防止戦略「防共回廊」の全容を外務省の機密文書などから解明し、2010年に発表した著書『帝国陸軍 見果てぬ「防共回廊」』でその存在を広く世に知らしめた。ムカイダイス氏と関岡氏との出会いについては『ウイグル・ジェノサイド』に詳しい。
※2　**清水ともみ**：漫画家。『その國の名を誰も言わない』『私の身に起きたこと ～とあるウイグル人女性の証言～』など、中国共産党によるウイグル弾圧の実態を描いたノンフィクション漫画が世界中のメディアで紹介されて話題となる。

なったと思います。それに導かれるかたちで私も自分の本を書きあげて世に出すことができました。私はウイグル人を代表できる立場にはありませんけど、先生、ありがとうございます。

福島：こちらこそ、ありがとうございます。「ムカイダイスさんにこんなこと言ってもらったんだ」ってどっかで書いちゃおうかな（笑）。私のほうこそお会いできて光栄ですし、私の本が多少でもムカイダイスさんのお役に立てたと思うと、本当によかったです。

『ウイグル・ジェノサイド』の最初のほうではムカイダイスさんの幼少期のことが書かれていますが、ウイグルが本当に素敵なところだということがよく伝わってきて、私もムカイダイスさんの故郷に行ってみたいと純粋に思いました。ウイグル問題のことを知っている日本人ほど、ウイグルに対して暗いイメージをもっていそうですが、そういう方がムカイダイスさんの本を読むとそのイメージがガラっと変わるでしょうね。きっとみんなも行ってみたいって思うんじゃないかな。

日本人でウイグル問題に取り組んでいる方やウイグル人の活動家の方が書かれる文章は、真面目でウイグル問題の深刻さは伝わるかもしれないけれど、やはりその分、アクセスする人が限られてしまう一面があると思うんですよ。その点、ムカイダイスさんの書く文章は、本当に抒情があるというか、詩的っていうか、これまでウイグル問題に関心のなかった人々にも届く力があります。そうした魅力もあって、本当に素敵な、完成されたご本だなと思いました。

中国共産党が消したいウイグル人の〝魂〟

福島：ムカイダイスさんがウルムチで幼少期を過ごした1980年代というのは、ちょうど胡耀邦政権が民族融和を唱え、ほんの一時期ではありますが、民族区域に自治権を与えるための法律の整備に着手した時期ですよね。子供の頃にはモンゴル人の友人や小強（王国強）さんという漢民族の男の子の親友がいて、中学の卒業式以来会っていないその小強さんが今では軍人として新疆軍区のトップになっていると書いていらっしゃいました。彼に対するムカイダイスさんの「私はあなたに何と言えばいい？　ウイグル人を無闇に捕まえるのはやめて、強制収容所を閉鎖してと頼むべき？」という呼びかけが、読んでいて本当にせつなかったです。

私は2001年から2008年まで記者として香港、中国に駐在していたんですが、その前後を通じて何度かウイグルにも行ったことがあります。最後に行ったのは2019年5月なんですが、そのときには様子が一変していました。

1900年代後半や2000年代前半にはカシュガルでは漢族なんてほとんど見かけなくて、誰も漢語を話せませんでした。でも、当時北京や上海で出会ったウイグルの知識人の方たちは漢族に友好的・融和的で、若者たちだって、たとえば民族大学に通う女の子なんか、スカーフを巻かずTシャツとジーンズを着て腕も出していたし、男の子はロックに夢中になったり、麻薬に手を出す人たちもいたり。ウイグル料理屋さんでは、お酒も普通に出していました。その後、そうした西洋化の反動でイスラムの宗教的な締め付けが厳しくなった時期もありますが、漢族ともそれなりに友好的に過ごしていたと思います。それがなぜ今のような最悪な状況になってしまったのか。

ムカイダイスさんの書かれていた子供時代っていうのは、「中国が変わるかもしれない」という期待にあふれた時代だったと思うんですよね。だから、私もそれを読んだときに「あっ、こういう時代って確かにあったんだな」って感慨深くなりました。ムカイダイスさんが子供の頃は、モンゴル人も漢族もみんな一緒で、違う言語でありながら意思疎通ができてお友達だったのに、今では別れ別れになってしまって。もし今、ムカイダイスさんと小強さんが再会したらどんな話をするんだろうとか、お互いそのときに憎しみ合っちゃうのかなとか想像すると、本当にせつなくなります。

ムカイダイス：結局のところ、共産主義が民主化とは相容れることができない思想だということに尽きると思うんです。確かに当時は胡耀邦が、経済を第一にして、国内のいざこざを抑えるよう、寛容策をとっていたのかもしれません。私自身、今も昔も漢民族や共産党のトップの人々に対する個人的な憎しみがないので、中国そのものを嫌ったり、中国文化を嫌ったりとか、そういう時期があったことがないんです。

それでも私が中国共産党と決別した大きな理由のひとつは、彼らが「私たちがいないとあなたたちは生きていけない。そのことをあなたたちはよく知るべきだ」という考えだったことです。人間は、あるいは命というものは、反抗心をもっていますし、自由な心をもっています。中国共産党政権というのは、そういう〝自由な精神〟に対して根本的に反対なんです。それが別に中国共産党を倒すためではなく、この世の中を良くするためだとしても。

彼らは「あなたたちが生きるも死ぬも共産党次第、あなたたちは党のことを親と思えばいい」という発想をもっています。私たちウイグル人からすると、そうした考えは受け入れられません。寛容だった時代にはそれを表に出していなくても、だんだんウイグル人が経済的に豊かになって、「自分」を出し始めたときには「ちょっと待て。あなたたちがそうやって豊かに生きていけるのもの私たち中国共産党があってのことだぞ。だから、アッラーじゃなくて、私たちの言うことを聞け。生きるも死ぬも私たち次第だ」という姿勢になってくるわけです。それに対して、私たちが反発したときに、彼らもその本性を現しました。共産主義は、人を怖がらせることを武器にしていますが、一方で人を怖がってもいるんです。その結果が、現在のウイグル人への弾圧につながっているんだと思います。

こうした私たちウイグル人のような発想、人間の尊厳と自由に対する意識のようなものを、おそらく漢民族の人たちはあまりもってないんですね。彼らは共産党の言うことを聞いていればば祖国の統一も守れるし、豊かになれると思っています。だけど、私たちウイグル人はこの70年間の植民地化のなかでそこまで奴隷化していません。このウイグルの不屈で自由な魂を、共産主義は消したいと思っているんです。それでもウイグル人の魂が消されなかったのは、たぶんそれだけの力がそこに隠れているからなんですね。経済的にはそれほど力がなくても。

日本のウイグル学者たちが日本とウイグルの友情を壊す

るんですか？

福島：強制収容所に入れられている方のなかには、ムカイダイスさんの親戚の方もいらっしゃ

ムカイダイス：私の親戚でもいろんな人が入れられているとは聞いていますが、確認はとれていません。そもそもウルムチの家族や友人と連絡がとれないので、知る術《すべ》がないのです。ただアメリカで確認された情報として、私が大好きで、とても仲良くしていただいたウイグル民俗学者の先生が強制収容所に入れられています。その方は世界トップクラスの学者で、毎年、1～2回は日本に来て学会で発表もされていました。本当に学問一筋の方なんですけど、そんな優秀な学者の先生が強制収容所に入れられているんです。

日本のウイグル学者の先生方のなかには、SNSにその先生との交流を自慢気に投稿したり、ウイグルでのフィールドワークでその先生にいろいろとお世話になったりした人たちもいるんですが、彼らはこういうときには誰ひとりとして声をあげない。先生の現状を心配する声や、同情のひと言も言わない。学者である以前にひとりの人間としてひと言でも発すればいいじゃ

ないですか。こういう態度をとるのは日本の学者くらいで、はっきりいって日本のウイグル学者は世界から取り残されています。

それでも彼らは言うんです。「いや、私たちにもウイグルにたくさん友人がいるから、その人たちが被害を受けるといけない。だから黙っているんだ」って。偽善もいいところです。私たちウイグル人はそういう偽善者と誰ひとり友達になろうとは思いません。むしろそういう人たちがいつかウイグルと日本の友情を壊してしまうんです。将来のためになりません。いくら私たちが〝国のない弱い立場〟であっても、日本人はそれ以下の道を歩いてはいけないんです。

福島：その「ウイグルの友人のため」っていうのも、おそらく半分は本音なんでしょうね。でも、やはりひとつの方便であって、結局は自分の保身のためじゃないかな、という気がします。たとえば中国政府の機嫌を損ねて、旧東トルキスタン地域にフィールドワークに入れなくなったら困るとか。私も中国で取材していたときに、私じゃなくて取材相手がひどい目に遭いますよっていう圧力を受けたことがあります。中国が相手だとその手の脅しをいっぱい受けますから。それにしても、その先生を解放するための署名運動みたいなことを、日本のウイグル学者さんたちはしてこなかったんですね。

ムカイダイス：私、署名をもっていったら拒否されたんです。「これもってこないで。見たことも言わないで」って。でも、モンゴル学者やチベット学者の先生方は違うんです。積極的にデモに参加する方もいます。学者としての目先の利益と、人間としての道徳的な価値観のどちらに重きを置くかっていうときに、彼らは学者である前に人間でいたいという信念をもっていらっしゃったんですね。むしろ世界の学者の多くはそうだと思います。でも、日本の一部のウイグル学者たちだけ、世界的にも異常な行動をとった。それが私には不満だったんです。

全員が全員というわけではありませんが、日本のウイグル学者の一部の先生方は、常に中国の立場で、中国の顔色をうかがいながらウイグルを研究しています。彼らからすれば「新疆ウイグル自治区」に住む「少数民族のウイグル族」の問題は、あくまでも中国の民族政策の問題なんです。だから、中国の民族政策を研究することが日本のウイグル学者たちの基本的なスタンスになっています。

福島先生のおっしゃる通り、彼らは中国のご機嫌を損ねて中国にフィールドワークで入れなくなることを恐れているので、ウイグル問題を正面から取り上げることができません。その結果、彼らは自分たちで設定した「中国の民族政策」としての新疆ウイグル自治区の問題点すらも十分に伝えられなくなってしまっているんです。

一方で、こうした日本のウイグル学者と交流をもっている現地のウイグル人たちは、この人たちが正義感をもって、ウイグルの問題を日本社会にしっかりと伝えてくれていると信じています。まさか日本のウイグル学者がここまで「事なかれ主義」で、自己保身に走る人たちだとは夢にも思っていないでしょう。ウイグル人たちに限ったことではありませんが、アラブ・イスラム世界の人たちは、日本という国と日本人を本当に信頼しています。なので、日本のウイグル学者の〝正体〟を知ったら、どんなにがっかりすることか。

きっとこういう人たちは漢民族からも軽蔑されると思います。「日本人はここまで落ちたのか」って。漢民族は口では日本人をののしっていても、心のどこかで日本を尊敬していて、自分たちも日本人みたいになりたいって憧れているところがあります。実際、彼らは「憧れの的《まと》であり、憎い日本人」を目指して今まで頑張ってきました。だから、日本の一部のウイグル学者のような〝残念な日本人〟をみると、彼らは落胆とともに軽蔑を隠そうともしないでしょう。

私は高校・大学時代を北京と上海で過ごしたので、そういう漢民族の気質や思想が何となくわかります。結局、そういう尊敬できない〝残念な日本人〟が中国からも最初に見捨てられるんですよ。そのことをまず自覚してほしいなって思います。

日本人の大好きな「自己責任論」の弊害

ムカイダイス：今、日本国民の多くがウイグルの現状や問題についてあまり知らないのも、学問的な蓄積がないというのも大きな要因なんです。マスコミの報道姿勢もさることながら、日本のウイグル学者たちが現地の実情を学問レベルで社会にまったく伝えていない。最近になって国会ではいろいろと議論されるようになったんですけど、やっぱり学問レベルのデータベースがないのは大きな問題だと思います。驚くべきことに、2016年以降、ウイグル関係の論文が全然ないんですよ。私が書いたウイグル文学の論文ひとつだけなんです。

福島：実際、私がウイグルについて書こうと思ったときも、日本語の資料が全然なくて苦労しましたね。もちろん、英語の資料ならあるんですけど、それを読みこなそうと思うと時間も労力もかかって大変です。

ムカイダイス：研究対象の現状を伝えるのも学者の大切な仕事のひとつなのに、それを伝えられていない。学者としての役目を果たせていないのと同じです。もはやそれは学問ですらありません。私は別に日本の先生方にウイグルの味方をしてほしいわけではなくて、ウイグル社会の現状を、中国の顔色なんかうかがわずに日本の社会にそのまま伝えてほしいだけなんです。日本という〝主権国家〟で活動している学者としての責任と任務をごまかしてほしくない。その点、アメリカの学者たちは政治的な意図とは関係なく研究に取り組んでいるんですが、彼らの学者魂、研究成果に触れるたびに私は感動すら覚えます。

福島先生が本のなかですごくいいことを書かれていました。「学者や記者を日本政府が国としてしっかり守らないといけない」と。そして、それができていないことが日本の大きな悩みのひとつだ、という主旨のことを書いていらっしゃいましたよね。

福島：ええ、そうなんです。この手の話は、日本のウイグル学者やマスコミがダメだっていうだけで終わらせていいものではなくて、実は日本政府の弱さ、日本の〝国力〟の弱さの表れでもあるんですね。アメリカのように毅然とした強い政府であれば、私たちメディアの人間も学者も心強いというか、国外で安心して取材やフィールドワークに取り組めます。でも、日本は国外で何か問題が起こったときには、私たちのような人間を簡単に切り捨てますからね。中国で捕まって拘束されても、日本政府は拘置所に差し入れしてくれるぐらいですよ。請求書は家族に送るらしいですけどね（笑）。

ムカイダイス：それに、日本の国民も「国に迷惑かけるな！　自己責任だ！」ってバッシングします。

福島：ええ。ジャーナリストは近年、特に嫌われてはいますよね。たぶん学者に関しても、こういう人文系の研究っていうものを、やっぱり日本人はあんまり重視してないような気がします。「中国に行かなきゃいいじゃん」とか平気で言われそうですもんね。

それから中国政府は新疆の強制収容所を再教育施設、職業訓練施設だと言い張り、ウイグル人への強制労働も貧困対策であると主張していますが、日本の学者のなかにも、いろいろなデータを持ち出してウイグル人の強制労働や強制避妊の問題を否定する人がいます。私からすると「いやいや、中国の専門家なら中国共産党のやり口、知ってるでしょう?」って思うんですど、やはり本当に「中国共産党がこんなひどいことをするわけがない」と思ってる人が実際にいるんですね。驚いたことに。

もちろん、私も強制収容所のなかに入ってその実態を自分の目で確かめたわけじゃありません。家族や親戚が入れられた方の話とか、あるいは収容所から帰還して「私はこういう目に遭いました」という証言者が、これだけメディアに登場しているという状況から、中国共産党によるウイグル人弾圧の事実があると判断しています。でも、人によっては、「いや、あなた方は慰安婦問題だと慰安婦が嘘をついているって言うじゃないですか。どうして被害にあったというウイグル人が嘘をついてないってわかるの？」という論法で、ものすごく反論してくるんですよね。

ウイグル問題に対するこうしたアンチ発信みたいなものが２０１９年の後半くらいから徐々に出てきて、今ではものすごく増えてきています。たとえば、中国経済が専門の有名な丸川知雄さん（東京大学社会科学研究所教授）もウイグル人の強制労働や強制避妊を否定するような主旨の論文をメディアに書かれていました（『ニューズウィーク』日本版、２０２１年４月12日「新疆の綿花畑では本当に「強制労働」が行われているのか？」、２０２１年６月24日「新疆における『強制不妊手術』疑惑の真相」）。こういう日本国内での動き、つまり日本人が「ウイグル問題なんてそんな重要な話じゃない」と問題を〝希釈〟しようとする反応を、ウイグル人の方たちはどのように思われるのでしょうか？

ムカイダイス：そういう流れがあることは私も承知しています。ただウイグル問題に関しては、当事者による夥《おびただ》しい数の証言と強制収容所の位置を示す衛星写真だけでなく、海外の学者が中国政府の出した中国語資料に基づいて研究したデータもたくさんあるんですね。たとえば私なら、これらをベースにして「ウイグル人への弾圧があった」と言えます。でも「なかった」と主張する人は、このようなすべての証言データを無視して、「なかった」と口で言い続けるだけなんです。中国政府もしくはそれに近しい人たちが「なかった」と言うんだから「なかった」が正しい。そんなことがあるはずがないって。

　こちらが証言を裏付ける証拠となるもの、論文あるいはデータベースが見つかったときに、「あった」と主張する側を「なかった」と言う人々の圧力でもってひっくり返す。証言の信憑性は一目瞭然なのに。この人たちがせめて「なかったという証言」を「あったという証言」と同じくらいの信憑性で出すことができれば、議論の余地もあるんですけれど。もちろん「できるものなら」ですが。

　とはいうものの、ウイグル問題はもはや、ウイグル人の強制収容所があるのかないのか、あるいは、そのなかでいろんなひどいことが行われているのかいないのか、という段階をはるかに超えています。日本においては、ひとりの人間として、自分と同じ人間が、アジアのすぐ近くでどんな目に遭ってるのかということを真剣に考えて向き合わなければならない――そういうレベルの問題になっているんです。だから、「なかった」と言っている人たちはもう時代遅れで、その主張に耳を傾けること自体が愚かな行為であると、私はそういうふうに感じています。

日本人が気づいていない、日本のテレビの恐ろしさ

ムカイダイス：私個人の話でも、自分の弟がどこにいるかわからないんですね。実際、私たちウイグル人の身の上にはいろんなことが起きています。ウイグル人の証言者たちだって、日本人の皆さんにとっては〝遠くに住んでいるよく知らない人たち〟っていう感覚かもしれませんが、私たちにとっては、ごく身近で信頼できる、社会的にも常識ある人たちなんです。

だから、日本の方たちにも、彼らをもうちょっと身近な人間だと思ってほしい。同じ人間として、身近な人間の話として、彼らの声にも耳を傾けてほしい。そういう同じ人間同士の悲しみや苦しみを何とかしてあげたいという気持ちが、人権の基本であり、民主主義の基本だと思

うんですね。

　でも、そのことを日本でいくら訴えても、なぜかギクシャクした、ヘンな空気になってしまいます。私にはそれがよくわからないんです。日本の方がものすごく親切で優しいっていうのはよく知っているんですが、ウイグル問題に限らず、こういう話になるとなぜか「面倒臭いことにはかかわりたくない」という雰囲気になります。

福島：よくわかります。確かにそういう日本の方は多いですよね。同じ日本人が被害を受けている北朝鮮の拉致《らち》問題ですら無関心な人が多いですから。

ムカイダイス：福島先生はよくご存じだと思いますが、私たちアジアの人間にとって日本人は〝誇り〟なんです。でも、私たちアジア人が思い描いていた日本、私たちが憧れている日本を、なぜか日本のマスメディアが日本人自身に忘れてほしがっている。私は日本に来たときにそう感じました。日本人が「日本人」でなくなるよう、マスメディアが〝教育〟しているようにも思えます。

　たとえば、日本のテレビを何日か見ていたら、醤油をどうやって節約するかとか、こんな生活に役立つ裏技や豆知識があるとか、洋服の上と下をどうやって合わせるとか、そういうものばっかりじゃないですか。今の日本のテレビは思考を停止させる仕組みになっています。それが恐ろしくなったから、私、テレビを捨てました。

誰があの日本を、アジアの誇りであった日本を、誰も立ち向かえなかった日本を、内側からこんなふうにしたんでしょうか。アメリカ？　中国？　何より肝心の日本人がそのことに気づいていないことがショックでした。

福島：ひと昔前なら戦後のアメリカの影響力というか、アメリカが日本を小さく弱くするために行っていた、メディアを通じた愚民化政策の影響があったと思います。今はむしろ日本人が自ら縮こまってしまっているというか、楽な方向に流れちゃっているんじゃないかな。考えないことって楽ですからね。長い経済の低迷とかいろいろあってしんどくなったって言ったらおかしいですけど、その楽な方に結局は流れていってしまったと。

ムカイダイス：そうやって楽なほうにばかり流されていってしまうと「国があるのは〝当たり前〟ではない」ということをみんな忘れてしまいます。楽な道ばかり選んでしまうと、いつかは日本もウイグルみたいになるかもしれません。

イスラム世界に浸透する、中国の美女工作

福島：私が不思議に思うのは、どうして世界最大の人口を抱えるイスラムの人々が一致団結してウイグルの味方をしないのか、ということです。中国と経済的な関係が深いイスラム教国が多いことはもちろん知っていますが、それにしても「おかしいことはおかしい」となぜ言ってくれないのかな、と。ムカイダイスさんから見て、その原因はどこにあるとお考えですか？

ムカイダイス：原因のひとつはやはり、イスラムとイスラム諸国が非常に貧弱化しているということですね。政権そのものが中国のお金で買われているような状態だったり、あるいは中国に多額の借金をしていたり。

それと、日本ではまったく知られていませんが、お金とは別の次元で、アラブ・イスラム諸国への中国の侵食が進んでいるんです。たとえばサウジアラビアやトルコでは、アラビア語の中国メディアが大人気で、すごく支持されています。かなり露骨なやり方なんですけど、目を疑うような美しい女性をたくさん使っているんです。

福島：漢民族の女性ですか？

ムカイダイス：ええ。本当にきれいな漢民族のお嬢様たちです。彼女たちが、スカーフを巻いて、完璧なアラビア語を操りながら記者として働いています。それも数十人とかじゃなくて、何百人、何千人。男はほとんどメディアにはかかわっていない。

それで、その美しい漢民族の美人レポーターがペラペラのアラビア語を使いながらウイグルを訪れる様子が放送されると、見ている人たちは「なんだ、ウイグルってすばらしいところじゃないか」って思うわけです。だから、「同じムスリムのウイグル人を助けなくちゃ」っていう声が形成されにくくなる。

こういう点に関して、中国は本当に賢いと思います。すごく頭を使っている。普段女性を見ることができないアラブ・イスラム世界のメディアには、こうした美女をたくさん使う手法は大変効果的なんです。それを中国はもう10年も20年も前からやってきた。こういう分野で中国が一番力を入れてきたのがアラブ・イスラム世界なんです。その結果、今ではあまり美人ではない漢民族の女性ユーチューバーでも5万や6万のアラブ人男性のファンがついているような状況です。完全に中国が先手を打つことに成功しています。アラブ・イスラム世界のことがよく見えているんだなって思いましたね。中国共産党の恐ろしいところです。

日本はアラブ・イスラム世界がもっとも信頼している国

ムカイダイス：中国との経済的なつながりや中国のメディア工作というのは、外的な要因なんですけど、もうひとつ、アラブ・イスラム世界が一致団結してウイグルに味方できない内的な要因があります。それは、彼らが同じ宗教、同じ民族でありながらも、実際のところは分裂状態にあるということです。一般的にアラブ・イスラム世界のリーダーとみられているサウジアラビアだって、国王のサウード家のルーツは荒くれ者の田舎武士で、正式な預言者の末裔《まつえい》ではありません（※3）。だから他のアラブ諸国はサウジを尊敬しておらず、むしろサウジがイスラムの聖地メッカを支配していることに腹を立てているくらいなので、なかなかひとつにはまとまれないいんですよ。

それに加えて、現在ウイグルの人権問題に高い関心をもっているのがアメリカを中心とする西側キリスト教社会だということも、アラブ・イスラム世界の人々にとってはネックになって

※3　サウジアラビアは、アラビア半島中央部の地方豪族だったサウード家によって1932年に建国された。もともとサウード家は「聖戦（ジハード）」の名のもとに周辺部族への略奪・侵略を繰り返し、アラビア半島で勢力を拡大していった。

います。いってしまえば、アメリカはイスラムの〝敵〟ですよね。だから、アラブ・イスラム世界の人々からすると、「アメリカが中国のことをいろいろ悪く言っているけど、本当にウイグルにそんなひどいことしているのか？　中国は俺たちには良くしてくれているぞ」という発想になるんです。ようするに、「アメリカの言っていることなんて信用できない」と。

でも、日本はアラブ・イスラム世界でもっとも信用されている国です。だから、彼らはアメリカの言うことは信じなくても、日本がウイグル問題を発信してくれれば絶対に信じてくれるんです。アラブ・イスラム世界の国々にとって、日本ほど信頼できて、尊敬できるパートナーは他にいません。彼らは、日本が第二次世界大戦中にイスラムの価値観を本質的に認めて、支配することもなく、服従させることもなく、敬意をもって接してくれていた歴史を知っています。アメリカは、イラク政策をみてもわかるように、すぐにイスラムを支配したがりますが、日本はそれをしなかった。だから、アメリカとは対立しましたが、日本とは何のわだかまりもなく素直に友情関係を結べます。非イスラム国家でそんなことができるのは日本だけです。その事実を日本の皆さんにはもっと知ってほしい。

習近平政権がなくなったらウイグル問題はどうなる?

福島：今はある意味、「習近平」という〝わかりやすい悪〟がいるからこそ、ウイグル問題が世界から注目されている面があります。でも、習近平の次のリーダーがもっとずる賢い人物なら、ウイグルへの懐柔策や欧米へのメディア工作、あるいはＡＩによる監視などを駆使して、ウイグル人への弾圧をもっと外から見えにくくするかもしれません。習近平がいなくなった後、ウイグル問題はどうなるとお考えですか?

ムカイダイス：習近平がいなくなっても、本質的なところは何も変わることはないと思います。確かに習近平後の中国共産党が強制収容所を閉鎖したり、習近平ひとりを悪者にして尻尾を切ったりして「中国は良くなった」と世界にアピールしながらウイグル問題の鎮静化を図る可能性はあります。でも、強制収容所がなかった時代から、中国によるウイグル弾圧は存在していました。「強制収容所」という名前がなくても、これまでの歴史で中国は、１９３７年と１９５７年、それから２０１７年の３回にわたり、ウイグル族の文化・言語・経済・社会を担った一流の人々を一斉に処刑しています。ウイグルが独立するための〝骨〟になるような人々が育ったときに、それを消すのが共産党の歴史的な手法のひとつなんです。だから習近平政権後に強制収容所がなくって、捕らえられていたウイグル人たちがみんな出てきて平和になったとしても、数十年後はまた別のかたちで共産党はウイグルを弾圧してくるかもしれない。あるいは、そのときまでに共産党の思う通りに私たちが洗脳されて、共産党の望むような人間に、〝人民〟になっているかもしれません。実際のところどうなるかはわからないですけど、中国共産党の植民地状態にある人々の運命は、ひとりのリーダーが変わったところでそう簡単には変わらないし、中国共産党体制が続く以上、ウイグルはどのみち非常に悲しい運命をたどることになると思います。

福島：今後ウイグル人が独立する可能性やチャンスについては、どうお考えですか？

ムカイダイス：私は独立派です。共産主義は受け入れられないし、これから先、ウイグルが中国共産党と共存していく可能性はもうまったくなくなりました。実際にウイグルが独立できるかどうかはわからないですけど、私に生きていく道がある限り、共産主義、そして中国という国は、いちウイグル人として魂のレベルで受け入れられないですね。もし独立のチャンスが到来して、中国に対して立ち上がるときが来たなら、私も武器が欲しい。戦いたい。

福島：ムカイダイスさんのように、独立のチャンスがあれば中国に対して武器をとって立ち上がりたいと考えているウイグルの方はどれくらいいますか？　多数派ですか？　それとも少数派なんでしょうか？

ムカイダイス：今はみんな私と似たような考えだと思います。100人いたら100人。もちろん、状況的にそれを口では言えない人もいますが。

福島：私もムカイダイスさんのおっしゃるように、習近平という人間がいなくなったからといって、ウイグル問題が解決するとは思っていません。ただ習近平政権がここまでひどくウイグル弾圧をするようになったのは、中国共産党のシステム自体がいよいよ末期になってきている証拠なのかなと思います。

改革開放以降、アメリカは中国が民主化することを期待して中国に対する寛容政策をとってきました。でも、中国共産党の独裁体制は変わらず、むしろ習近平政権ができてからは改革開放路線を逆走して、毛沢東時代・文革時代に戻っているような方向に流れています。なぜこのような現象が起こっているかというと、中国があのまま改革開放路線を進んで経済を自由化させていったら、共産党体制が崩壊せざるをえない運命にあったからです。その問題については、すでに胡錦濤時代から指摘されていました。だから、習近平政権は共産党体制を崩壊させないために毛沢東時代・文革時代に逆走しているっていう状況なんですね。目の前に崖があるから、仕方がなくハンドルを後ろに切った。でも、いざハンドルを後ろに切ってみたら、もうどん詰まりで、前にも後ろにも道がない。だから、どちらに進んでも、もう中国共産党政権は崩壊するしかないと私は思います。

もちろん、習近平が長期政権を築いて独裁王国をつくるという、誰も望んでいないないシナリオもまだあるんですけど。いずれにせよ、私は中国共産党が崩壊したときにこそ、ウイグルの独立のチャンスがあるのではないかなと考えています。かつて旧ソ連が崩壊したときにも、中央アジアの5カ国がひとまず共和国という形で独立しました。あれが本当の独立と言えるかどうかという議論はさておき、西トルキスタンの5カ国が独立した前例は確かにあるわけです。だから、中国共産党が崩壊したときには、ウイグルやチベット、香港が独立するチャンスは十分にあるのではないかなと思います。じゃあ、日本はそのときにどういうサポートができるのか。それが今、日本に問われているような気がしますね。

〝心〟をなくした漢民族とは、絶対に一緒になれない

ムカイダイス：福島先生が今おっしゃったことと関連するんですが、中国が民主化したとき、つまりウイグル人が漢民族と平等に暮らせるようになったときにウイグル人はどうするべきかという議論が私たちの間でかなり前からあります。でも、私にとって中国の民主化は、ウイグルの独立よりもはるか遠くに感じるんです。たとえばウイグルの独立が家の〝電灯〟くらいの距離だとすると、中国の民主化は〝月〟ぐらい遠い。

そもそも私は本当の意味で「民主派」だと思える中国人にお会いしたことがありません。彼らは確かに中国共産党には反対しているんですけど、「祖国の統一のために、ウイグル・チベット・モンゴルは、中国が民主化しても中国と一緒になるべきだ」って言っているんです。でもこれって、おかしいですよね。なんでこの人たちは口では民主化を唱えながら、中華民族の統一のために「ウイグルは独立したらダメ」って言えるんですか。ウイグルの独立は彼らがどうこう言うべき問題ではなく、私たちウイグル人が議論すべき問題です。それが認められないなら、本当の民主化とは言えないと思います。

漢民族の人たちの言う民主化は、「中華民族」というつくられたひとつの民族の〝虚栄心〟がベースにあります。これがおかしいんです。一方で彼らは300万人ものウイグル人が自分たちの国の政権によって強制収容されていても、同情すらしてくれません。たとえ自分たちと違う民族、違う言語の人々であっても、同じ人間が自分たちのすぐそこでひどい目にあっているなら、人間として無視はできないはずです。彼らはある意味、私たちより哀れだと思います。

この先、たとえ中国が民主化したとしても、こんなふうに〝心〟をなくした漢民族とは、私たちウイグル人は絶対一緒にはなれません。一緒になったところで、彼らが他民族である私たちの悲しみ、私たちの喜び、私たちの故郷を大事にするとは到底思えない。だから、中国が本当の意味で「民主化」するということが、私には〝月〟並みに遠くに感じるんですね。

もし中国が本当の意味で「民主化」するなら、私たちは独立して幸せに暮らしていくので、漢民族は漢民族で、民主化した中国社会のなかで幸せに暮らしていってほしいと思っています。

いずれにせよ、今後もしこのウイグルと中国の問題にケジメをつけるときが来たら、勝ち負けに関係なく、私も立ち上がります。絶対に無視することはありません。そういう魂をもち続けていたいです。

東トルキスタン地図

タクラマカン砂漠

天山山脈

神秘の湖カナス湖

ウルムチ市

おわりに

最後まで読んでいただけてうれしいです。
新型コロナウイルスのパンデミックによって、海外への渡航制限がかかり、私は2020年1月に台湾総統選取材のために台北を訪問して以来、海外に出ていません。香港に最後に行ったのは2019年11月で区議会選挙取材のためでした。中国を訪れたのは2019年5月にウイグル問題の現状視察のために新疆ウイグル自治区のウルムチ、カシュガルを訪れ、その足で重慶に立ち寄ったのが最後です。現地に足を運んで、現場の空気に触れて、人に会って、見て、聞いて、書くというのを信条としていた私としては、2021年という年は新しい本を書くにはなかなか厳しい環境でした。一年も現地を訪れていないなかで出した書籍が本当に読者の方々に満足のいくものになっただろうかと、実は心配でした。

もちろん、インターネットを通じて、香港の新聞、ニュースサイトを見て、香港で起きている政治、経済、社会の変化についてはある程度、追うことはできますし、セルフメディアの香港の若者たちからは、いろいろと情報を寄せてもらっています。

セルフメディアの友人たちのなかには、カメラを抱えてニュース（事件）の現場に行き、写真を撮っては送ってくれる人もいますし、コメントやインタビューを私の代わりにとってきてくれる人もいます。この本でもセルフメディアの友人たちの写真を使用しました。

でも、香港の状況は日に日に厳しくなっており、セルフメディア活動自体にリスクが増えてくると、そういう協力をお願いするのも控えざるをえなくなってきます。

停刊に追い込まれた『蘋果日報』だけでなく、今の香港では、すべてのメディア、新聞もテレビ・ラジオもネットも出版社も、中国に対する愛国と忠誠を誓うように要請され、記事や取材行為が香港国安法に違反していないか、厳しく自主検閲するように求められています。

ちょうどこの「おわりに」の原稿を書いているとき、香港ブックフェアが開幕したというニュースがネットで流れていたのですが、ブックフェア会場では習近平著作本や毛沢東著作本が前面に並び、まるで中国共産党対外宣伝会場のようになっていました。香港ブックフェアといえば、アジア最大のブックフェアです。香港がもっとも出版の自由なアジア都市であったから、このブックフェアが毎年盛況であったのでした。ですが、今や会場では、親中派団体による国安法違反パトロールが行われ、出展者はびくびくしています。今年は中国の政治や歴史に関する本、民主主義や西側文明、台湾を肯定的に論評するような本が見当たらないようです。「あの出版社は国安法違反をしている」という密告があった場合、その案件は警察に引き継がれると康楽及文化事務署は言っています。まさしく「文字の獄」なのです。

そういうなかで、セルフメディア活動も慎重にならざるをえなくなっています。

セルフメディア記者というのは、たいていは本業が別にあり、取材と発信だけでは生活は成りたちません。なのに、彼らのなかの少なからずの人が「新型コロナ」を理由に本業から解雇され、生活は困窮しているようです。彼らの生活の助けになればと、写真を買ったり、取材助手を依頼したりしてきたのですが、ひょっとしたら、それが「外国の敵対勢力との結託」ということになって香港国安法に抵触するのでは、という心配が日に日に濃くなってきています。

ウイグル問題も同様のジレンマがあります。2019年5月の新疆ウイグル自治区訪問のあと、私は「ウイグル人に何が起きているのか」(PHP新書)を上梓しました。この本は、在日ウイグル人で日本ウイグル協会副会長のレテプ・アフメットさんの協力を得て書いたものでした。いまでこそ、実名で活動しているレテプさんですが、私がこの本を書いた2019年5月当時、レテプさんは普通の日本のサラリーマンであり、故郷の地にいるお父上が強制収容所に囚われの身でした。彼の安全、ご家族の安全を考えて、私はレテプさんを仮名にし、また本人が特定されそうな要素はできるだけぼかして書くようにしました。レテプさん自身、私が新疆ウイグル自治区に行くとき、「本当なら実家を訪ねてほしいのだが、それをすると家族の安全が守れないかもしれない」と言っていました。ですから私は、ウルムチでもカシュガルでも普通の観光客として現地を見るだけにして、特定の人物とアポイントをとったりはしませんでした。強制収容施設の場所などもおおよその見当はついていたのですが、タクシーでそこに行けば、ウイグル人運転手の安全が守れないかもしれないと思い、結局行かないことにしました。

その後、レテプさんは実名を明かしての活動に切り替えるのですが、それは、家族の安全、自らの安全について相当悩み、そのリスクを覚悟したうえでの決断であったと思います。

私たちはその覚悟に応えて、レテプさんたちの発言や思いを広く伝えたいと思うわけですが、一方ではメディアが彼を取り上げれば取り上げるほど、広く世間に彼の名が知られ、故郷のご家族の安全が危うくなるのではないかという懸念もあります。

今は新型コロナウイルスの防疫を理由に物理的に現地に赴《おもむ》けないだけですが、果たしてこの新型コロナパンデミックが収まったとき、私たちは香港や中国に以前のように頻繁に訪れることができるのでしょうか。たとえ訪れることができたとしても、気安く現地の人たちと本音で話をしたり、意見を交換したりできる環境ではなくなっているのではないでしょうか。

単に取材できないだけでなく、私たちが取材しようとすることで、危険な目に遭う人、圧力を受ける人がでてくるかもしれない可能性がますます大きくなっています。

一方で中国は、宣伝機関である中国メディアや親中メディアを使って、「ウイグル問題は西側メディアの捏造だ」と言ったり、「香港国安法によって香港に秩序が戻った」と喧伝しています。実際、そちらのほうを信じたい方も多いでしょう。

外部の人間が現地に行って事実を見極める手段がなくなっていけば、内部の人間には言論の自由も報道の自由もなくなっているわけですから、真実というのはますますわからなくなってしまいます。世に出る声は、中国共産党が統制した一色だけになります。そういうなかで、どのように取材を続けていけばよいのか、というのはおそらく中国を対象とするジャーナリストたちの共通の課題であろうかと思います。現地取材を続けるために、多少は中国メディア記者と同様に中国共産党の宣伝にも協力するという選択をとる人もでてくるでしょう。あるいは、相応のリスクを覚悟して、たとえば自分が逮捕されたり、取材協力者を危険に晒すかもしれない、と思いながらも取材を敢行するか。

私はやはり、そこで重要なのは、国力や政府や世論の意識だとあらためて思うのです。英米の記者たちが果敢に取材できるのはやはり英米政府の中国政府に対する政治姿勢、外交姿勢がはっきりしているからだと思います。また英米政府、英米世論の「報道の自由」やジャーナリズムに対する価値観もゆるぎないものがあります。報道の自由が損なわれることに対しても敏感に反応し、蘋果日報問題についてはバイデン米大統領は逮捕された主筆らジャーナリストの即刻解放を求める声明をだしています。欧州議会は蘋果日報の弾圧について「最も強い言葉で非難する」として、香港やウイグルの人権状況を改善しない限り、北京冬季五輪の政府代表や外交官への招待を辞退するよう求める決議を採択しました。

日本はというと、蘋果日報の弾圧については、加藤勝信官房長官が「言論や報道の自由を大きく後退させるものだ。重大な懸念を強めている」と記者会見での質問に答えていましたが、具体的なアクションを起こしたかというと起こしてはいません。6月の通常国会で新疆ウイグル等における深刻な人権侵害に対する非難決議案が採択される予定であったのに、結局採択されませんでした。与党のなかで中国に対する過剰な忖度が働いているようです。

香港の自由への弾圧も、ウイグルのジェノサイドも見過ごすことのできない人道上の罪です。それを中国に改めるよう強く求めることすらできないのであれば、日本のメディアもジャーナリストも体を張った取材ができるでしょうか。日本政府には、どうか私たちの信じるべき価値観をきっちり指し示す毅然とした態度をとっていただきたいと思います。

同時に読者の皆さんにお願いしたいことは、どうかメディアやジャーナリズムの価値や意義を見失わないでいただきたい、ということです。日本では今、メディアやジャーナリズムに対する信頼がとても薄れています。私たちメディアやジャーナリズム側にその大きな原因があることは承知しています。メディアの「世論を導いてやろう」という傲慢さ、ジャーナリズムの自分たちが正義であると疑わない不遜さは、双方向のインターネットというプラットフォームのおかげで可視化されるようになり、メディア、ジャーナリズムに強い反省を迫っています。

ですが、それとは別に、圧倒的権力に特定の人々の自由や人権が弾圧されたとき、最後の抵抗手段はやはり言論であり、その言論を広め、また結集して力とするうえでメディア、ジャーナリズムの役割はかけがえのないものだと思っています。

ウイグル・香港を殺すものが、権威主義全体主義の一党独裁政治権力であるならば、彼らに希望を与え、蘇《よみがえ》らせるものは自由社会の言論であり、それを発信するメディア、ジャーナリズムであり、価値観を共有する世論ではないでしょうか。

私は、香港の自由を復活させたいし、ウイグルのジェノサイドを食い止めたいと思っています。そのためにも、ペンの力、メディア、ジャーナリズムというものをもう一度肯定していただきたいのです。

２０２１年７月吉日

福島香織

ウイグル・香港《ほんこん》を殺《ころ》すもの

ジェノサイド国家中国《こっかちゅうごく》

著者 福島香織

2021年9月5日 初版発行

福島香織（ふくしまかおり）
ジャーナリスト、中国ウォッチャー、文筆家
1967年、奈良市生まれ。大阪大学文学部卒業後、1991年、産経新聞社に入社。上海復旦大学に業務留学後、香港支局長、中国総局（北京）駐在記者、政治部記者などを経て2009年に退社。以降はフリージャーナリストとして月刊誌、週刊誌に寄稿。ラジオ、テレビでのコメンテーターも務める。
主な著書に『ウイグル人に何が起きているのか』（PHP新書）『潜入ルポ　中国の女』（文藝春秋）『中国複合汚染の正体』（扶桑社）『中国絶望工場の若者たち』（PHP研究所）『本当は日本が大好きな中国人』（朝日新書）『権力闘争がわかれば中国がわかる』（さくら舎）『孔子を捨てた国』（飛鳥新社）『中国の悪夢」を習近平が準備する』（徳間書店）『習近平の敗北―紅い帝国・中国の危機―』『新型コロナ、香港、台湾、世界は習近平を許さない』（いずれも小社刊）など多数。月刊誌『Hanada』WEBニュース『JBPress』でも連載中。
ウェブマガジン「福島香織の中国趣聞（チャイナゴシップス）」毎週月曜発行（https://foomii.com/00146）。
Twitter：@kaori0516kaori

発行者　横内正昭
編集人　内田克弥
発行所　株式会社ワニブックス
〒150-8482
東京都渋谷区恵比寿4-4-9えびす大黒ビル
電話　03-5449-2711（代表）
03-5449-2716（編集部）

カバーデザイン　志村佳彦
フォーマット　橘田浩志（アティック）
校正　大熊真一
構成　吉田渉吾
編集　川本悟史（ワニブックス）

印刷所　凸版印刷株式会社
DTP　アクアスピリット
製本所　ナショナル製本

定価はカバーに表示してあります。

ISBN 978-4-8470-6661-0
ワニブックスHP　http://www.wani.co.jp/
WANI BOOKOUT　http://www.wanibookout.com/